# Macramé
## fácil y rápido

# Macramé
## fácil y rápido
### 20 proyectos paso a paso

## JIM GENTRY

Editor: Jesús Domingo
Edición a cargo de Eva Domingo

Título original: *Macrame 20 Great projects to Knot* de Jim Gentry
Publicado por primera vez en inglés en EE.UU. por Sterling Publishing Co, Inc., New
York, U.S.A. – www.sterlingpublishing.com

Este libro se ha negociado por mediación de Ute Körner Literary Agent, S.L., Barcelona
– www.uklitag.com

Fotografía: Evan Bracken
Ilustraciones: Orrin Lundgren
Diseño de cubierta: José M.ª Alcoceba
Traducción: Ana María Aznar

ISBN: 978-84-9874-028-8
Depósito legal: M-35292-2008
Impreso en Gráficas Muriel S.A.
Impreso en España – *Printed in Spain*

# SUMARIO

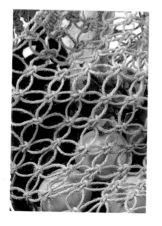

# INTRODUCCIÓN

**¡Nudos y más nudos!** ¡Macramé! ¿y por qué no? Después de todo, siempre hemos hecho nudos. Enseñamos a los niños a atarse los zapatos, a anudar las cuerdas de la tienda de campaña, a afianzar la barca en el muelle y a hacer preciosas lazadas en los envoltorios de los regalos. Utilizamos nudos en el día a día, aunque cada vez se usen más alambritos retorcidos o gomas elásticas en lugar de cordeles. El hecho de hacer un nudo —ya sea práctico o artístico— posee un atractivo que, en cuanto se descubre, se convierte en una pasión de por vida.

Hacer nudos con sentido práctico es algo tan antiguo como el hombre. En las culturas primitivas se daban distintos usos a pámpanos, tiras de corteza, hierbas y tendones animales. La utilización de los nudos como adorno era conocida por las primeras culturas y suponía el desarrollo de la inteligencia y la complejidad de la estructura de esas culturas.

Los artículos fabricados por el hombre ilustran su esfuerzo creativo a lo largo de los tiempos. Los atributos militares elaboradamente anudados de las culturas europeas y asiáticas denotan un interés por crear belleza y por simbolizar el poder a través de la textura, el dibujo y el color. Encontramos ejemplos del uso creativo de los nudos (como manifestación popular de las labores femeninas) en la época victoriana, gracias a la creciente variedad de materiales disponibles y al aumento del ocio. Los marineros a bordo de los barcos del siglo XIX utilizaban los materiales que tenían a mano (y las horas de inactividad en el mar) para realizar elaborados trabajos para los seres queridos que habían quedado en casa.

Recuerdo de mi infancia en la granja las grandes madejas de sisal dorado que colgaban en el granero. La cuerda tenía una utilización práctica: atar las balas de heno cortado. Cuando se quitaban las cuerdas de las balas —para alimentar al ganado— se guardaba el sisal para otra vez. Se enrollaba con cierto arte en una viga de madera con un nudo de cabeza de alondra (aunque yo no sabía entonces que se llamaba así). Yo utilizaba aquella abundancia de sisal para arrastrar mis juguetes, sujetar la leña en mi pequeña carretilla roja y para fabricarme un precario columpio en el desván del granero con nudos sencillos. Era una fibra con cuyos usos yo estaba familiarizado. En la escuela tuve la suerte de estudiar con profesores que me permitieron explorar los usos de la fibra más allá de los trabajos manuales.

El arte del macramé estaba conociendo un nuevo auge en el siglo XX. Estaba por todas partes: en los libros de manualidades, en las exposiciones y la artesanía popular. Por decirlo así, me engancharon los nudos.

Durante una excedencia que solicité como profesor de plástica en la enseñanza pública, una beca de artes plásticas me brindó la oportunidad de dedicarme de lleno a la artesanía con nudos. Diseñé y vendí labores realizadas con nudos, simples y complejas. Realicé cinturones, bandas, collares, bolsos y figuras aprovechando las cualidades de la fibra y su flexibilidad para adaptarse a los nudos.

Nudos, ¿por qué? La respuesta es muy sencilla. Los materiales que se prestan a esta labor son atractivos a los sentidos. Las texturas son agradables al tacto y seducen al sentido de la vista. La labor es portátil y requiere pocas herramientas, por no decir ninguna, aparte de las manos. En un mundo de producciones en serie, el hecho de crear objetos con materiales sencillos —para uso práctico o por placer artístico— no ha perdido atractivo. Es el porqué de los nudos.

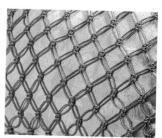

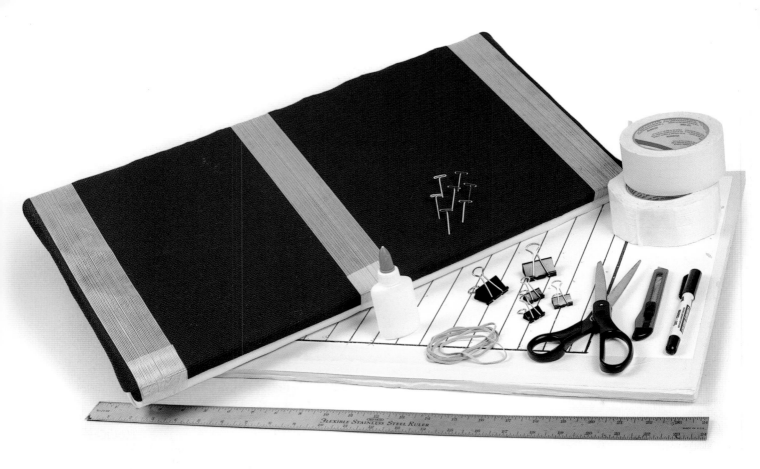

# Conocimientos básicos

Para hacer los nudos, una herramienta de corte, un tablero sobre el que trabajar y las manos son básicamente cuanto se necesita para realizar un proyecto de macramé. Los demás utensilios que requiera algún proyecto específico son fáciles de adquirir. De hecho, es probable que se tengan ya en casa: tijeras, una regla o cinta métrica, cinta de pintor o aislante, agujas de coser, un cúter o cuchilla para manualidades, alfileres en T, pinzas de papelería y pegamento transparente resistente al agua.

## FABRICACIÓN DE UN TABLERO DE BASE

Un tablero de fibra forrado es la superficie de trabajo imprescindible para la mayoría de los proyectos de macramé. Es una superficie portátil y aplastada que facilita la labor. Además, se pueden clavar alfileres en su superficie porosa. Un tablero de una sola capa forrado de tela es suficiente para casi todos los proyectos. Si se prevé trabajar intensamente el macramé, se puede pensar en fabricar un tablero de dos capas, y con cada cara forrada con tela distinta (blanco y negro es lo más habitual). El doble espesor del tablero lo hace más resistente y se puede trabajar por el lado que mejor contraste ofrezca para la labor en curso.

| MATERIALES |
| --- |
| Panel de fibra para techo (panel modular), que mida 61 x 122 cm* |
| 2 trozos de tela de colores contrastados, cada uno de unos 40,5 x 61 cm |
| Regla |
| Cuchilla para manualidades o cúter |
| Grapadora y grapas |
| Cinta adhesiva fuerte (reforzada con hilos, o cinta aislante, o cinta de pintor), de al menos 5 cm de ancho |
| * Se encuentra en almacenes de materiales de construcción o de decoración, en la sección de techos |

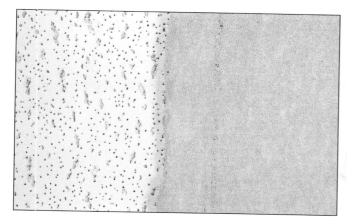

1 Es importante examinar el panel, aquí se ve que presenta dos caras distintas. Para trabajar el macramé es preferible hacerlo sobre la cara menos porosa; es más lisa y en ella se sujetan mejor los alfileres que en la cara rugosa.

2 Medir y marcar el panel para hacer dos rectángulos. Cada rectángulo medirá 30,5 x 45,5 cm. Cortar el panel con la cuchilla o el cúter.

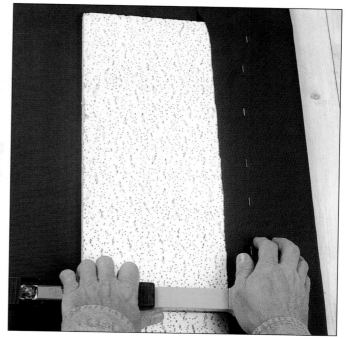

3 Extender un trozo de tela sobre una superficie de trabajo lisa. Centrar el panel (con la cara lisa hacia abajo) sobre la tela de un color. Doblar un borde largo de la tela sobre el dorso del tablero de fibra y graparlo sobre el tablero. Cubrir el canto de la tela con una tira larga de cinta aislante o cinta de pintor. Estirar el otro borde de la tela para tensarla sobre el frente y grapar ese borde al tablero. Cubrir el canto de la tela con cinta adhesiva. Repetir el proceso con los bordes de los extremos. Forrar un segundo panel de igual manera, utilizando tela de otro color.

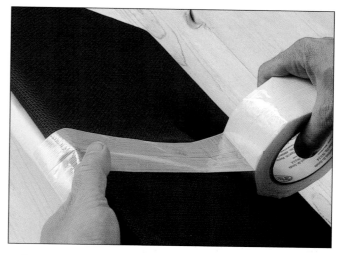

4 Colocar los paneles revés con revés. Envolver los dos paneles por el centro con una tira de cinta adhesiva. Envolver luego los paneles en cada extremo.

# MATERIALES PARA MACRAMÉ

Existe una amplia selección de materiales para macramé, en una gama casi ilimitada de colores y grosores, que se puede encontrar en las tiendas de manualidades, mercerías e incluso tiendas de decoración. Que los materiales sean naturales o sintéticos es una cuestión personal, aunque también depende del proyecto.

Las fibras sintéticas más usadas son el rayón, el nailon, el polipropileno e incluso el plástico. El algodón, la lana, la seda, el lino, el sisal y las mezclas existen en una amplia selección de colores y texturas. Pero no hay por qué limitarse a lo que se suele definir como fibra. En tiendas de manualidades se encuentra un tipo de alambre blanco, flexible y de colores vivos, además de hilo de plata y de oro para los artesanos más valientes.

A la hora de elegir los hilos o cordeles para un proyecto, hay que tener en cuenta qué uso se le va a dar a la pieza. Las fibras blandas como la lana y la seda pierden definición en los nudos y no son muy resistentes. La maravillosa lana de color turquesa, que tan bonita resulta, no es lo más adecuado para una bolsa para la compra de mucho uso. Es preferible optar por un sisal o un nailon de color vivo. La correa de seda con cuentas intercaladas puede ser digna de su estilo, pero es mejor optar por un cordón de nailon impermeable, más duradero. Pero ¿por qué hacer una cinta de sombrero de cuero rugoso si lo que de verdad apetece es hacerla de seda? La cinta de sombrero no sufre mucho desgaste, así que se puede elegir el material que más guste.

En resumen: elegir una fibra resistente si la pieza va a sufrir desgaste y uso; elegir lo que más guste si se prevé poco desgaste en la pieza.

Hay que tener en cuenta que cuanto más fina sea la cuerda, mayor será la dificultad del proyecto. Eso no significa que no se

pueda hacer; tan sólo que no es tan fácil como parece utilizar cordeles finitos para anudar. Es una buena idea practicar los nudos básicos con un cordón grueso, trenzado; es un ejercicio que compensa, con vistas a futuros proyectos. Aunque se hayan practicado antes los nudos, conviene utilizar un cordón grueso para repasar los nudos que se van a utilizar en un proyecto.

# ADORNOS Y ACCESORIOS

Las cuentas suelen figurar en muchos proyectos. Se encuentran en una asombrosa selección de tamaños, formas y materiales. Es una buena idea comprar el material para anudar antes de elegir las cuentas y los cierres. Aunque siempre se pueden agrandar algo los agujeros de las cuentas, es más fácil buscar las cuentas adecuadas al cordón que se va a utilizar en un proyecto. Leer bien las instrucciones de anudado para determinar cuántas hebras deben quedar dentro de las cuentas y llevar luego una muestra de los cordones a la tienda de abalorios. Es un consejo sencillo que convierte la labor en un placer en lugar de en una lucha.

Las anillas redondas y los cierres de mosquetón son accesorios útiles para enganchar los cordones en ciertos proyectos, como la alforja para la botella de agua (página 58) y la correa del perro (página 26). También se pueden utilizar aros, varillas y clavijas de madera o de bambú como sujeción de la labor. Pero no hay que ponerse límites: es muy divertido encontrar objetos inesperados con los que fijar los dibujos de macramé.

# TÉRMINOS Y DEFINICIONES DE LOS NUDOS

El macramé, lo mismo que el punto, el ganchillo, el encaje o el tejido, es un sistema de formar una estructura de fibra. Contrariamente a otros métodos, que dependen de formar presillas o de pasar hilos por encima o por debajo unos de otros, el macramé va forjando esa estructura a base de nudos fijos. Es decir, haciendo nudos con ciertos cordones, reagrupándolos según corresponda y haciendo más nudos.

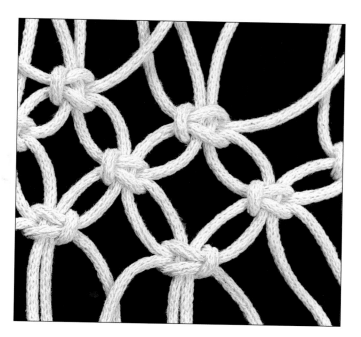

## Un hilo es un cordón, es una hebra, es un...

Hilos, hebras, cordones, cordeles, cuerdas. Todo se refiere a lo mismo en las instrucciones del macramé: un trozo de fibra. A los escritores les gusta utilizar distintos términos para acicalar su prosa. En las instrucciones de un mismo proyecto se puede hablar de reagrupar las hebras y de hacer un nudo de festón doble con los cordones. ¡Se anuda lo que se tiene entre manos!

## Abreviaturas

Acompañando a todas las instrucciones de labores, ya sean de ganchillo, de punto, etc., se encuentran abreviaturas que evitan repeticiones y facilitan la lectura. En las instrucciones de los proyectos de este libro se puede leer "hacer una fila de nudos de festón doble invertidos (NFDI)". La segunda vez que se utilice ese tipo de nudo en las instrucciones se leerá "hacer una fila de NFDI".

## Hilos activos e inactivos

Los hilos activos son los que se mueven para hacer el nudo y los inactivos son los que no se usan para anudar. En macramé los hilos están continuamente cambiando de función; los inactivos se convierten en activos en el paso siguiente de una labor. Si las instrucciones indican "dejar estos hilos inactivos" significa que no se usan esos hilos en ese paso.

## Alternar y reagrupar

En la mayoría de los proyectos se van separando los hilos y se van trabajando en grupos. Lo más habitual son los grupos de cuatro, pero se pueden trabajar grupos de dos, de tres o de cualquier número. La mayoría de los diseños están formados por un número de hilos divisible por cuatro.

Reagrupar hilos significa unir cierto número de hilos de dos grupos contiguos. En cada proyecto se indica cómo agrupar los hilos en cada paso.

Alternar es un término que se utiliza con frecuencia en el vocabulario del macramé. Por ejemplo: "Hacer una fila de nudos planos alternos, utilizando en total 16 hilos", significa que en la primera fila habrá cuatro nudos planos sueltos; que esos hilos se reagrupan luego y se hace una segunda fila de tres nudos planos. Los hilos del final de la fila quedan inactivos. Se vuelven a reagrupar y se hacen cuatro nudos planos.

El mantelito (página 24) y la bolsa de la compra (página 62) utilizan una estructura alterna como elemento del diseño.

## Sujeción de los cordones

Para poder anudar los cordones, deben estar bien tensos, ofreciendo cierta resistencia al anudarlos. Esto se consigue sujetando o anclando los cordones de alguna manera. También ayuda a que los cordones estén ordenados. En cada proyecto se especifica el modo de montar los cordones.

Se utiliza un nudo simple con presilla (página 15) para trabajar con cordones cortos y que resulten difíciles de identificar como hilos separados. Es un nudo que se deshace con facilidad tirando de un extremo de la presilla. El nudo simple con presilla es una variante del nudo simple.

El nudo simple (página 14) se utiliza cuando se trabaja con cordones gruesos y se distinguen bien los hilos individuales. Si se trabaja desde un extremo, el nudo puede quedar mientras dura la labor; se puede deshacer en cualquier momento durante la labor o se puede dejar como parte integrante del dibujo. En los proyectos que parten desde el centro, se debe deshacer el nudo antes de terminar el dibujo en dirección contraria.

El nudo de cabeza de alondra (página 14) se utiliza cuando se necesita un anclaje fijo para los cordones. Como anclajes fijos se puede utilizar una anilla, una hebilla, un mosquetón o un cordón de soporte. Esos anclajes fijos suelen formar parte del dibujo del proyecto.

## Largo del cordón (y cómo manejarlo)

Por lo general, si los cordones no miden más de 2,5 m resultan fáciles de manejar y se ahorra tiempo dejándolos sueltos. Para trabajar con cordones largos es fundamental que la zona de trabajo esté despejada para que no se enreden. Además, cuando se han empezado los nudos, se dejan abiertas las presillas para hacer el nudo con el cordón que pasa por ellas.

Algunos artesanos forman madejas con los cordones que se denominan "mariposas". Esas madejas se sujetan con gomas elásticas, con un cordelito o con clips de papelería. Pero a otros ese método les resulta molesto. Cada uno verá qué forma de trabajar le resulta más cómoda: con los cordones sueltos o devanados en madejitas.

## Tamaño de los proyectos terminados

Las dimensiones de los proyectos terminados son aproximadas. Dependen de los materiales específicos utilizados y de lo apretados (o flojos) que se hagan los nudos. No hay dos personas que tensen los nudos igual; pero no importa, la longitud indicada para los cordones está calculada con generosidad para compensar ese efecto.

## Cordones de anudado y de soporte

Los cordones tienen dos funciones en el macramé: anudar o soportar un nudo. El cordón de soporte suele estar tensado y el cordón de anudado se mueve alrededor del de soporte. Hay que tener en cuenta que los cordones intercambian su función. Un cordón de soporte en un paso puede ser de anudado en el paso siguiente.

## Nivel de dificultad

¿Qué hace que un proyecto resulte más difícil que otro? Hay cuatro elementos que determinan el nivel de dificultad de una labor específica, que son: el tamaño del hilo utilizado, el número de nudos, el número de veces que cambia el dibujo de la labor y la escala del proyecto.

Los proyectos de este libro están divididos en tres niveles de dificultad: fácil, dificultad leve y dificultad media.

Si se es principiante en el macramé, conviene empezar por un proyecto fácil. Los proyectos de las páginas 20 a 38 están pensados para principiantes. Si se tiene experiencia en el macramé o ya se han realizado labores fáciles del libro, los proyectos de las páginas 41 a 62 presentan nuevos retos. Los tres últimos proyectos del libro son moderadamente difíciles.

## Series

Una serie de nudos planos significa dos o más nudos realizados con los mismos cuatro cordones. Si en las instrucciones se indica hacer una serie de 17 nudos planos, no hay que asustarse. Se hacen 17 nudos planos sin más.

## Métodos de trabajo

Los distintos proyectos requieren diferentes métodos de trabajo. El método de trabajo depende del diseño del proyecto. Para realizar los proyectos de este libro se utilizan tres métodos de trabajo.

Anudar en redondo significa formar una estructura sin bordes. Se logra anclando continuamente los cordones de anudado en torno a un objeto o una forma de soporte. El estuche para gafas (página 47), el estuche y llavero (página 51) y la bolsa para la compra son ejemplos de anudado en redondo. Todos se trabajan de arriba abajo y se cierran (rematan) en la parte inferior del diseño.

Anudar desde un extremo consiste sencillamente en trabajar de un lado a otro. Se trabaja así cuando los cordones utilizados en el proyecto son relativamente cortos o cuando el proyecto se sujeta en un extremo. La pulsera de reloj (página 54) y la alforja para botella de agua (página 58) son buenos ejemplos de este método de trabajo.

Anudar desde el centro significa trabajar desde el centro o desde un punto intermedio del diseño. Está indicado cuando se trabaja con cordones muy largos. El largo de los cordones se reduce a la mitad (normalmente con un nudo simple) y se trabaja según se indica, se gira el tablero de trabajo y se sigue elaborando el diseño. El mantelito (página 24) y la cinta para sombrero (página 36) son ejemplos de este método de trabajo.

# NUDOS BÁSICOS

Todo el mundo ha leído cosas sobre nudos y su uso. Ahora vamos a ver los nudos como si nunca se hubieran visto antes. Los nudos se conocen con distintos nombres (a veces muy pintorescos). En esta sección se incluye una fotografía y un diagrama de cada uno de los nudos utilizados en los proyectos del libro. Y sobre todo, ¡se aprende a hacerlos! Consultar esta sección una y otra vez hasta dominar los nudos.

## Nudo plano (NP)

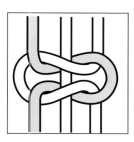

El nudo plano es un nudo fijo, no corredizo, que se realiza sobre un soporte central de uno o más hilos. El cordón de soporte debe estar tirante mientras se hace el nudo. Practicarlo y realizarlo una y otra vez; pronto se adquiere un método personal de mantener tirantes los cordones centrales.

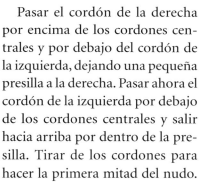

Pasar el cordón de la derecha por encima de los cordones centrales y por debajo del cordón de la izquierda, dejando una pequeña presilla a la derecha. Pasar ahora el cordón de la izquierda por debajo de los cordones centrales y salir hacia arriba por dentro de la presilla. Tirar de los cordones para hacer la primera mitad del nudo.

Pasar luego el cordón de la izquierda por encima de los cordones centrales y por debajo del cordón de la derecha, formando una pequeña presilla a la izquierda. Pasar ahora el cordón de la derecha por debajo de los cordones centrales y salir hacia arriba por dentro de la presilla. Tirar de los cordones para apretar el nudo terminado.

## Medio nudo (MN)

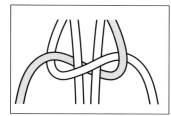

Es simplemente un medio nudo plano. Si se repite varias veces, se forma una serie en espiral de medios nudos. La espiral puede girar en el sentido de las agujas del reloj o en sentido contrario, según qué cordón (el izquierdo o el derecho) se pase por encima de los cordones centrales.

## Nudo de festón (NF)

Este nudo consiste en una sola presilla hecha sobre uno o más hilos de soporte. Mantener tirante el hilo de soporte, formar una presilla con el hilo de anudado sobre el hilo de soporte y tirar para situar la presilla en su sitio.

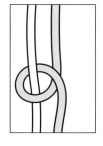

## Nudo de festón alterno (NFA)

En realidad no se trata de un solo
nudo, sino que se forma alternando
el hilo utilizado como soporte. Se
hace un nudo de festón y se cambia:
el cordón de soporte pasa a ser el de
anudado y se hace con él un nudo de
festón. Si se utilizan cordones de distinto color, se obtiene un dibujo igual
y decorativo.

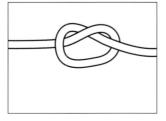

## Nudo de cabeza de alondra (NCA)

Es el nudo de inicio más utilizado para sujetar cordones
en doble. Doblar el cordón por la mitad formando una
presilla. Pasar la presilla por debajo del cordón de soporte
(o anilla, hebilla, o mosquetón). Pasar los extremos del
cordón por dentro de la presilla y tirar para apretar la presilla.

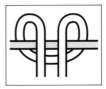
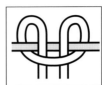
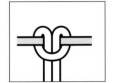

## Nudo simple

Este nudo básico lo utilizamos casi a diario
sin darnos cuenta. Basta con probar a atarse
los zapatos sin hacerlo. Se utiliza para sujetar los cordones al empezar un proyecto y
también para rematarlos. Se forma una presilla y se pasa el extremo del cordón por
detrás de la pre-
silla y se sale
hacia arriba
por dentro de
la misma. Tirar
para apretarlo.

## Nudo simple con presilla (NSP)

Es una variante del nudo simple. Se forma una presilla alrededor de dos dedos. Luego se pasan los dedos por dentro de la presilla para pasar el o los extremos libres por la presilla formando una nueva presilla. Se tira sin apretar para que quede una presilla abierta con un nudo debajo.

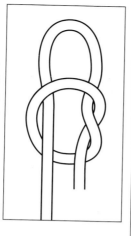

## Nudo de festón doble (NFD)

Los nudos de festón dobles y los nudos planos son los nudos más utilizados en macramé. Cuando se utiliza una serie de cordones de anudado para hacer nudos de festón dobles sobre un mismo cordón de soporte, se forma una fila de vueltas de cordón.

Hacer un nudo de festón en torno a un cordón de soporte tirante. Hacer otro nudo de festón con el mismo cordón de anudado en torno al soporte. Tomar el cordón siguiente de anudado y repetir. Es así de sencillo.

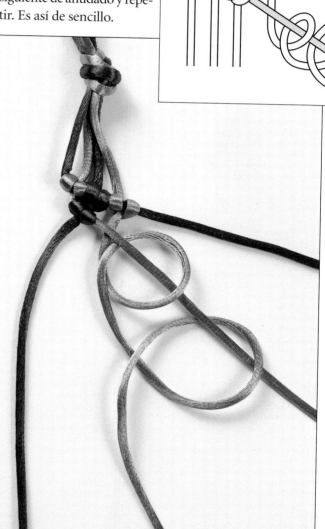

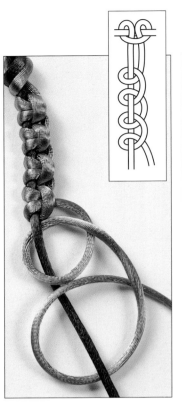

## Nudo de festón doble invertido (NFDI)

Es un nudo versátil que queda como un nudo de cabeza de alondra vuelto hacia un lado. El primer paso del nudo de festón doble invertido es un nudo de festón sencillo. El segundo paso es algo distinto: pasar el cordón de anudado por debajo y alrededor del hilo de soporte y pasarlo hacia abajo por la presilla formada. Parece sencillo, pero tiene truco:

Cuando se hace el nudo a la derecha del diseño, el hilo de soporte se sujeta con la mano izquierda y el hilo de anudado con la derecha.

Cuando se hace el nudo a la izquierda del diseño, se sujeta el hilo de soporte con la mano derecha y se maneja el hilo de anudado con la izquierda.

Al principio cuesta trabajo, pero con la práctica resulta fácil y los nudos quedan iguales.

## Nudo con vueltas (NcV)

Es parecido al nudo simple. Sirve para adornar los extremos de cordón sueltos y evita que se desenrollen los cordones.

Hacer un nudo simple grande y, antes de apretarlo, pasar un extremo del cordón y enrollarlo cuatro veces (o más) sobre la presilla. Tirar con fuerza para cerrar el nudo.

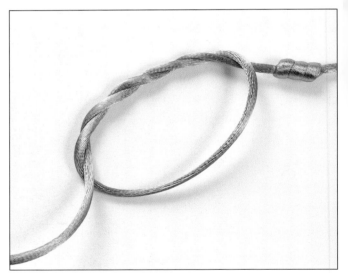

# Nudo de cordoncillo (NCo)

Este nudo se utiliza para agrupar varios cordones a lo largo de un diseño.

Hacer nudos de festón dobles normalmente, pero en lugar de retirar los cordones de anudado una vez utilizados, combinarlos con el cordón de soporte que se acaba de utilizar. Continuar el proceso a lo largo del diseño hasta tener agrupados todos los cordones en un manojo al final de la fila de nudos.

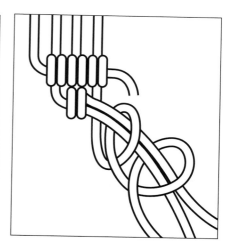

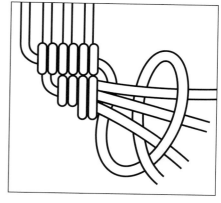

## Trenza de tres cabos

Éste es el más sencillo de los trenzados y se hace con tres cordones o tres grupos de varios cordones. La trenza queda bien en muchos diseños de macramé como transición de un dibujo a otro, ¡y es rapidísima de hacer!

Hay hilos a la izquierda, en el centro y a la derecha. Tomar el hilo de la izquierda y pasarlo por encima del central. Tomar el hilo de la derecha y pasarlo por encima del central. La secuencia es siempre la misma: izquierdo sobre central, derecho sobre central. Si se modifica la secuencia, enseguida salta a la vista el error.

## Trenza de cuatro cabos

Sí, es algo más complicada que la de tres cabos. Va formando una trenza redonda en lugar de plana. Si se utiliza más de un color, el efecto es muy bonito. Practicar esta trenza una y otra vez.

Mantener la tensión constante en todos los hilos. Tomar el hilo de la izquierda y pasarlo por detrás de los dos hilos siguientes y de vuelta por entre esos dos hilos.

Tomar el hilo de la derecha, pasarlo por detrás de los dos hilos contiguos y de vuelta por entre esos dos hilos. Repetir esta secuencia hasta obtener el largo de trenza deseado.

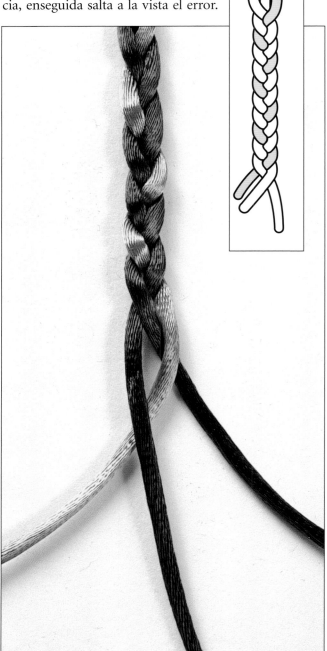

# NUDOS: CONSULTA RÁPIDA

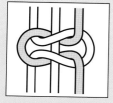

**NUDO PLANO (NP)**

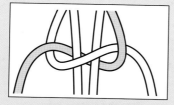

**MEDIO NUDO (MN)**

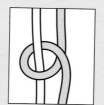

**NUDO DE FESTÓN (NF)**

**NUDO DE FESTÓN ALTERNO (NFA)**

**NUDO DE CABEZA DE ALONDRA (NCA)**

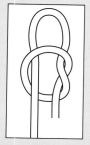

**NUDO SIMPLE CON PRESILLA (NSPr)**

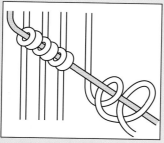

**NUDO DE FESTÓN DOBLE (NFD)**

**NUDO SIMPLE (NS)**

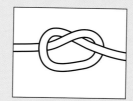

**NUDO DE FESTÓN DOBLE INVERTIDO (NFDI)**

**NUDO CON VUELTAS (NcV)**

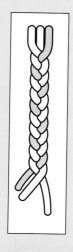

**TRENZA DE TRES CABOS**

**TRENZA DE CUATRO CABOS**

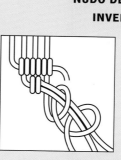

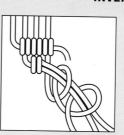

**NUDO DE CORDONCILLO (NCo)**

# Alfombrillas posavasos

*Unos graciosos posavasos con los que proteger la mesa del calor del tazón de chocolate caliente en invierno o del rocío de una bebida con hielo en verano. Son rápidos y sencillos de confeccionar. Se pueden hacer varios a juego con los mantelitos de la página 24 o para ofrecer de regalo.*

## MATERIALES

53,7 m de cordón de algodón trenzado de 3 mm de grosor (para 4 posavasos)

Regla o cinta métrica

Tijera

Tablero de trabajo

Alfileres en T

### TAMAÑO DE LA PIEZA TERMINADA
7,6 x 12,7 cm

### NUDOS Y MÉTODO DE TRABAJO
Nudo simple (NS), nudo plano (NP)

Se trabaja desde un extremo

# Preparación de los materiales

Para cada posavasos, cortar 20 trozos de cordón de 66 cm de largo cada uno.

1 Atar cuatro cordones con un NS a unos 7,5 cm del extremo. Hacer cinco grupos en total.

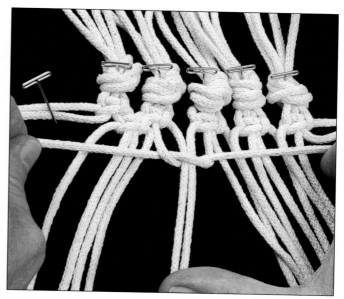

3 Empezar a la izquierda. Retirar dos cordones; ahora quedan inactivos. Hacer un NP con los cuatro hilos siguientes. Hacer una fila de nudos planos, dejando dos hilos inactivos al final. Hacer en total 13 filas de nudos planos alternos. Tirar de los extremos de los nudos de la última fila. Cortar los extremos de los cordones con unas tijeras, según se desee.

2 Anclar los cinco grupos de cordones sobre el tablero uno al lado del otro, con un alfiler en T atravesando los nudos. Hacer un NP en cada grupo de cuatro hilos, alineando los nudos.

4 Quitar los alfileres en T y deshacer los nudos simples. Tirar de los extremos con fuerza y cortarlos.

# Cinturón de ante flexible

*Tan retro… pero tan elegante y tan sencillo. Un cinturón de ante es el complemento perfecto de un atuendo deportivo, pero ¿por qué no hacerlo de seda para acompañar un vestido?*

**TAMAÑO DE LA PIEZA TERMINADA**

66 cm de largo, más las tiras para atar

**MATERIALES**

7,3 m de tira de ante marrón, de unos 3 mm de ancho

5 m de tira de ante beige, de unos 3 mm de ancho

Cinta métrica o regla

Tijeras

Alfileres en T

Tablero de trabajo

**NUDOS Y MÉTODO DE TRABAJO**

Nudo simple (NS), nudo plano (NP)

Trabajar desde el centro

# Preparación de los materiales

Calcular el largo del cinturón. Si va a ser más largo que éste, aumentar las tiras en una proporción de 5 a 1. Por ejemplo, si hay que aumentar 15 cm el largo del cinturón, añadir 75 cm a cada tira.

Cortar tres tiras de ante marrón, cada una de 2,5 m o según el largo deseado. Cortar dos tiras de ante beige de igual medida. Sujetar las cinco tiras de ante juntas, doblarlas por la mitad para hallar el centro y atar las cinco con un nudo simple.

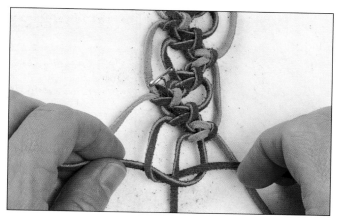

**3** Repetir seis veces los pasos 1 y 2. Ya está casi terminada la mitad del cinturón.

**1** Con un alfiler en T anclar el NS sobre el tablero. Colocar las tiras: beige por fuera y marrones en el centro. Tomar la tira marrón de la izquierda y combinarla con dos marrones hacia la derecha, haciendo un NP utilizando un cordón de soporte. Retirar la tira beige hacia un lado. Hacer un NP con tres tiras marrones. Tirar del nudo hacia arriba, situándolo debajo del anterior.

**4** Usar las tiras beige como hilos de anudar. Hacer tres NP alrededor de las tiras marrones. Tirar del último nudo sin apretarlo. Quitar el alfiler en T del NS y deshacer el nudo. Anclar el cinturón sobre el tablero. Anudar la segunda mitad del cinturón según los pasos 1, 2 y 3. Repetir nueve veces la secuencia de los cuatro nudos.

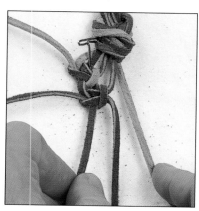

**2** Tomar la tira beige de la derecha, combinarla con dos marrones y hacer un NP. Hacer un NP con tres tiras marrones. Tirar del nudo hacia arriba para situarlo debajo del anterior.

**5** Rematar los extremos de los cordones de ante con un nudo con vueltas. Variar la posición de los nudos con vueltas si se quiere que las tiras queden desiguales.

# Mantelitos Cena para dos (o para tres o cuatro)

*Éste es un buen proyecto para principiantes. Los cordones (y los nudos) son grandes y fáciles de manipular. Es sorprendente lo rápido que se confecciona el proyecto, tan rápido que se pueden hacer dos mantelitos mientras se asa el pollo en el horno.*

### TAMAÑO DE LA PIEZA TERMINADA
30,5 x 53,5 cm incluido el fleco

| MATERIALES |
| --- |
| 77,7 m de cordón de algodón trenzado (por mantelito) |
| Regla o cinta métrica |
| Tijeras |
| Alfileres en T |
| Tablero de trabajo con una cuadrícula de 2,5 cm * |

*Si no se quiere dibujar la cuadrícula sobre el tablero, se dibuja sobre un papel del tamaño del tablero y se sujeta el papel al tablero con cinta adhesiva o con chinchetas.

### NUDOS Y MÉTODO DE TRABAJO
Nudo plano (NP), nudo simple (NS)

Trabajar desde el centro

## Preparación de los materiales

Para cada mantelito, medir y cortar 36 trozos de cordón de algodón de 2 m de largo. Unirlos de cuatro en cuatro. Hacer un nudo simple (NS) en el centro de cada grupo. Repetir formando nueve grupos.

**1** Dibujar una cuadrícula en el tablero de 30,5 x 48 cm, dividida en segmentos de 2,5 cm de lado. Servirá para espaciar los nudos por igual.

**2** Anclar cada grupo de cordones sobre la línea central de la cuadrícula, prendiendo un alfiler en T en el centro de los nudos.

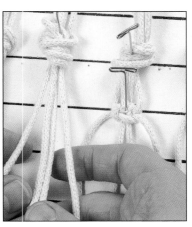

**3** Hacer un NP en cada grupo. Apretar la primera mitad del nudo hasta situarla sobre la línea. Prenderlo. Apretar la otra mitad del nudo. Seguir anudando y prendiendo un NP en cada uno de los nueve grupos.

**4** Reagrupar los cordones para la fila siguiente. Dejar dos hilos inactivos a la izquierda. Utilizar los cuatro hilos siguientes para hacer un NP. Seguir por toda la fila haciendo NP en cada nuevo grupo de cuatro hilos. A la derecha quedan dos hilos inactivos. Volver a reagrupar los cordones. Hacer en total ocho filas de nudos planos alternos. Conforme avance la labor, bajar los alfileres para sujetar la fila siguiente de nudos.

**5** Hacer una novena fila de NP en cada grupo. Reagrupar y anudar una décima fila haciendo un NP en cada grupo y juntándolo con el nudo de la fila anterior. Empezando a la izquierda, hacer un nudo simple con dos cordones y tirar de él sin apretarlo. Repetir por toda la fila, terminando esta mitad del mantelito. Cortar los flecos igualándolos.

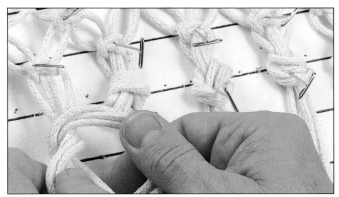

**6** Girar el tablero. Deshacer los NS. Trabajar la otra mitad del mantelito haciendo siete filas alternas de NP. Las filas ocho y nueve se anudan y rematan según se indica en el paso 5.

# Correa de paseo en rojo

*Para pasear a Pipo (¡o a Chispa o a Kim!) con estilo y convertirlo
en el perro más elegante del barrio con esta correa resistente.*

**TAMAÑO DE LA PIEZA
TERMINADA**

1,5 m desde el asa hasta
el mosquetón

### MATERIALES

18,2 m de cordón de nailon retorcido,
de unos 3 mm de diámetro

Mosquetón (en ferreterías)

Regla o cinta métrica

Tijeras

Tablero de trabajo

Alfileres en T

Pegamento transparente
para manualidades

**NUDOS Y MÉTODO DE TRABAJO**

Nudo de cabeza de alondra (NCA),
nudo simple (NS), nudo plano (NP)

Trabajar desde un extremo

## Preparación de los materiales

Medir y cortar dos trozos de cordón de 8,5 m de largo. Doblar cada cordón por la mitad. Montar cada cordón en doble sobre la anilla del mosquetón con un NCA.

1 Utilizar los dos cordones centrales como soporte y los cordones exteriores para anudar. Hacer cuatro NP. Intercambiar los cordones exteriores con los de soporte.

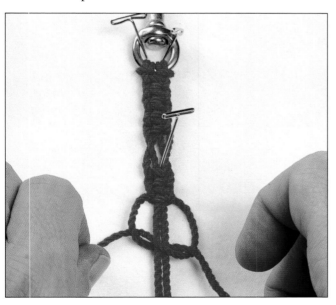

2 Dejar una abertura de 2,5 cm debajo del último NP. Pinchar en el tablero un alfiler en T debajo de los cuatro nudos, para sujetar la abertura. Hacer cuatro NP con los cordones intercambiados. Repetir el esquema de cuatro NP, intercambio de cordones y abertura y otros cuatro NP, hasta que la serie mida 1,20 m de largo.

3 Intercambiar la posición de los cordones centrales y exteriores pero dejar una abertura de sólo 1,3 cm. Hacer 36 NP los cordones intercambiados.

4 Pasar los dos cordones exteriores por la abertura de 1,3 cm y tirar de ellos. Los 36 NP forman el asa de la correa. Situar los cordones más largos a cada lado de la correa.

5 Hacer dos NP en torno al cuerpo de la correa y de los cordones sueltos que se pasaron antes por la correa.

6 Hacer un NS en cada par de cordones sueltos y apretarlos bien contra la correa. Cortar los cabos a ras del NS. Aplicar sobre los nudos pegamento transparente para manualidades para que no se deshilen. Dejar secar el pegamento antes de sacar a pasear a Pipo.

# Cuarteto de servilleteros con cuentas

*Estos servilleteros se hacen tan rápidamente que se pueden hacer varios juegos de distinto color para tener en casa y para regalar. Si el cáñamo no es lo que mejor va a las servilletas, se puede utilizar un cordón de tamaño parecido.*

## MATERIALES

20 m de cáñamo u otro cordón de color natural
de unos 3 mm de diámetro (para 4 servilleteros)

4 cuentas de vidrio*

Tablero de trabajo

Alfileres en T

Tijeras

Pegamento transparente para manualidades

Tubo de cartón

*Recordar llevar una muestra del cordón cuando se vayan a comprar las cuentas. En este proyecto, deben caber dos cordones por cada cuenta.

### TAMAÑO DE LA PIEZA TERMINADA
3,8 cm de diámetro

### NUDOS Y MÉTODO DE TRABAJO
Nudo simple (NS), nudo plano (NP),
nudo de festón doble (NFD)

Trabajar desde un extremo

# Preparación de los materiales

Cortar 6 trozos de cordón, de 80 cm de largo cada uno, para cada servilletero.

1. Atar con un NS un grupo de seis cordones, a unos 5 cm de un extremo. Anclar los cordones sobre el tablero de trabajo, prendiendo un alfiler por el nudo.

2. Dividir los seis cordones en dos grupos de tres. Primera fila: hacer un NP con un grupo de tres cordones. Hacer un NP en el segundo grupo de tres cordones.

Segunda fila: hacer un grupo de cuatro, dejando un cordón inactivo a cada lado. Hacer un NP con los cordones agrupados.

Repetir tres veces estas dos filas de nudos.

3. Ahora se pueden hacer dos filas diagonales de NFD. Imaginar el diseño en dos partes: tres cordones a la izquierda y tres a la derecha. Empezar a un lado.

Sujetar el cordón exterior cruzando los otros dos cordones y hacer una fila de NFD. Tomar el cordón exterior otra vez y hacer una fila de NFD. Tirar bien de esta fila para apretarla contra la primera. Terminar el diseño haciendo dos filas de NFD al otro lado.

Pasar los dos cordones centrales por la cuenta y subir ésta hasta la fila de NFD.

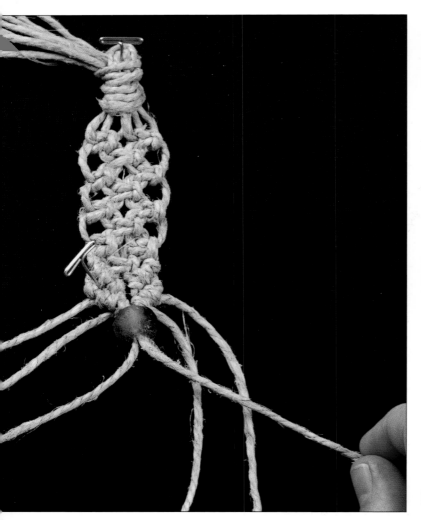

5 Retirar la labor del tablero. Deshacer el NS y darla la vuelta. Alisar los cordones y colocarlos en su orden. Enrollar la tira anudada en forma de anillo. Atar los extremos de los cordones por orden con un nudo plano –como si se atara un paquete–. No deben quedar cordones sin anudar. Tirar de los nudos por igual para afianzarlos. Hacer en total seis NP.

4 Separar los cordones en los que se ha enfilado la cuenta. Pasar uno por encima de los dos cordones de la izquierda y el otro por encima de los dos cordones de la derecha, trabajando desde el centro hacia fuera. Hacer dos filas de NFD, simétricas a las de NFD del paso 3.

Tomar los cuatro cordones del centro (dejando un cordón inactivo a cada lado) y hacer un NP. Reagrupar los cordones en dos grupos de tres y hacer un NP en cada grupo. Repetir estas dos filas tres veces, de modo que quede el dibujo igual que el del paso 2.

6 Deslizar el anillo sobre un tubo de cartón. Cortar los cabos a 3 mm de los nudos. Aplicar un poco de pegamento transparente sobre cada NP y dejar secar el pegamento.

# Trío de señales de libro en azul

*Un trío de señales de libro muy distintas que oculta un oscuro secreto (aunque nada siniestro). Con dos tonos de azul se pueden realizar tres señales de libro totalmente distintas. ¿Y dónde está el secreto? No lo vamos a desvelar aún. Este proyecto resulta una estupenda práctica de varios nudos complicados (y no tan complicados).*

### TAMAÑO DE LA PIEZA TERMINADA
28 cm, incluidos flecos

### MATERIALES

14,6 m de algodón para ganchillo, azul

14,6 m de algodón para ganchillo, gris

Regla o cinta métrica

Tijeras

Tablero de trabajo

Alfileres en T

Aguja de tapicería

### NUDOS Y MÉTODO DE TRABAJO
Nudo simple (NS), nudo de festón doble (NFD), nudo plano (NP), nudo de festón doble invertido (NFDI)

Se trabaja desde un extremo

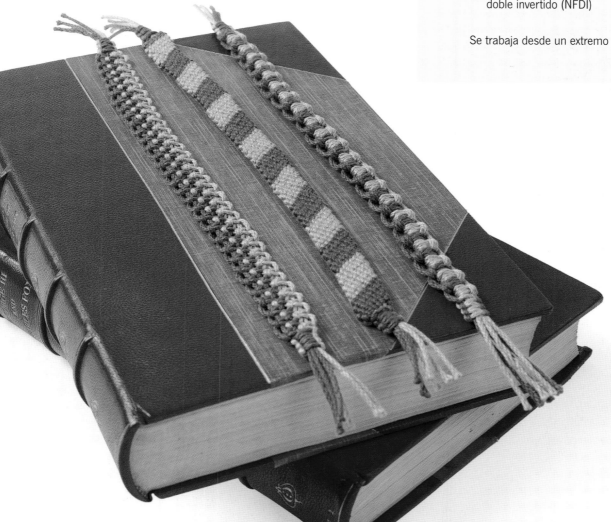

## Preparación de los materiales

Para cada señal de libro se necesitan ocho trozos de cordón, cuatro de cada color. Medir y cortar los trozos de 1,20 m de largo. Reunir ocho cordones con un NS hecho a 10 cm de un extremo. Anclar los ocho cordones prendiéndolos sobre el tablero a través del NS.

## Remate de las señales de libro

Cuando se hayan seguido las instrucciones de una señal de libro, se termina haciendo tres NP utilizando seis hebras como soporte. Dar la vuelta a la señal. Enhebrar una aguja de tapicería con uno de los cordones de anudado y pasarlo hacia el revés del NP. Repetir con el otro cordón de anudado. Cortar estos cabos a ras de la presilla del primer NO. Cortar los otros seis cabos del largo que se desee. Deshacer el NS y repetir en el otro extremo.

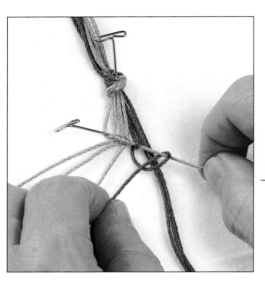

## Señal de libro a nudo de festón doble

1 Anclar los cordones sobre el tablero con un alfiler en T. Colocar los ocho cordones: cuatro grises a la izquierda y cuatro azules a la derecha. Tomar el cordón situado más a la izquierda y sujetarlo en diagonal sobre los otros siete. Hacer una fila de NFD, utilizando los siete cordones (ver foto). Tomar el siguiente cordón de la izquierda y sujetarlo sobre los otros siete cordones. Hacer una fila de NFD. Seguir tomando el cordón de la izquierda y haciendo una fila de NFD hasta tener 48 filas en total.

Para terminar esta señal de libro, tomar el cordón de la izquierda y hacer seis NFD (fila 49). Hacer las filas 50 a 54 con NFD, reduciendo el número de nudos en cada fila, de cinco a uno. Rematar la señal según se indicaba.

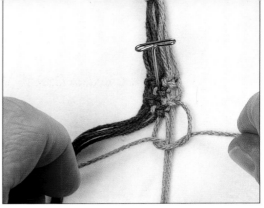

## Señal de libro a nudo plano alterno

2 Anclar los ocho cordones sobre el tablero prendiendo un alfiler en T por el NS. Distribuir los cordones en dos grupos: cuatro azules a la izquierda y cuatro grises a la derecha. Hacer un NP en cada grupo utilizando dos cordones como soporte. Reagrupar los cordones: dejar dos inactivos azules a la izquierda y dos grises inactivos a la derecha. Hacer un NP con los cordones azules y los grises. Reagrupar los cordones y hacer dos NP. Repetir el esquema de NP alterno, hasta que la señal mida unos 20,5 cm de largo.

Rematar la señal según se indicaba.

## Señal a nudo de festón doble invertido

3 Anclar ocho cordones sobre el tablero prendiéndolos con un alfiler en T a través del NS. Distribuirlos: cuatro azules a la izquierda y cuatro grises a la derecha. Sujetar los cuatro cordones centrales tirantes (dos azules y dos grises). Hacer un NFDI a la izquierda con dos cordones azules. Con los cuatro cordones centrales tirantes, hacer un NFDI a la derecha con dos cordones grises. (Revisar los NFDI, página 61, si hiciera falta). Repetir esta secuencia hasta que la señal mida 20,3 cm de largo.

Rematar la señal según se indicaba.

# Llavero de cuero con leontina

*Con este elegante llavero no hay necesidad de rebuscar las llaves en los bolsillos o en el fondo del bolso.*

*El extremo de la leontina se puede llevar por fuera del bolso.*

### MATERIALES

2,4 m de cordón forrado de algodón rojizo,
de unos 1,5 mm de diámetro

2,4 m de cordón forrado de algodón negro,
de unos 1,5 mm de diámetro

Anilla de metal de 1,5 cm

Anilla para llaves

Tijeras

Regla o cinta métrica

Tablero de trabajo

### TAMAÑO DE LA PIEZA TERMINADA

4 x 25,5 cm, incluida la borla

### NUDOS Y MÉTODO DE TRABAJO

Nudo de cabeza de alondra (NCA),
nudo de festón doble (NFD), nudo plano (NP),
nudo de festón doble invertido (NFDI),
nudo de festón alterno (NFA), nudo simple (NS),
trenza de cuatro cabos

Trabajar desde un extremo

## Preparación de los materiales

Medir y cortar dos trozos de cordón rojizo, de 1,2 m de largo cada uno; cortar dos trozos de cordón negro de 1,2 m de largo cada uno. Montar los cordones en una anilla con un NCA. Montar los dos cordones negro y luego uno rojizo a cada lado. Prender la anilla al tablero de trabajo.

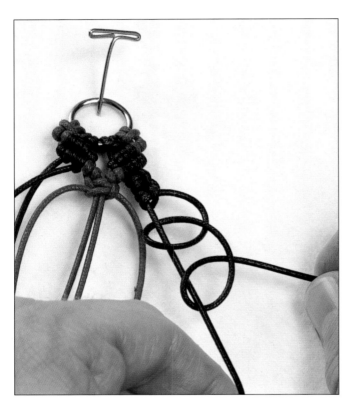

1 Tomar el cordón de la izquierda, pasarlo sobre el rojizo y los dos cordones negros. Hacer tres NFD. Tomar el cordón de la derecha, sostenerlo sobre el rojizo y los dos negros hacia el centro. Hacer tres NFD. Tomar el cordón rojizo de la izquierda. Hacer otra fila de NFD. Tomar el cordón rojizo de la derecha. Hacer una fila de NFD. Los cuatro cordones rojizos quedan ahora en el centro. Hacer un NP con los cordones rojizos (ver foto).

2 Hacer tres NFDI con cada par de cordones negros a la izquierda y a la derecha.

Tomar uno de los cordones rojizos del centro y utilizarlo como soporte para hacer una fila de NFD trabajando hacia el exterior, hacia la izquierda o hacia la derecha. Tomar el segundo cordón central y hacer una fila de NFD en dirección contraria. Hacer una segunda fila de NFD utilizando los cordones rojizos como soporte, hacia la izquierda y hacia la derecha.

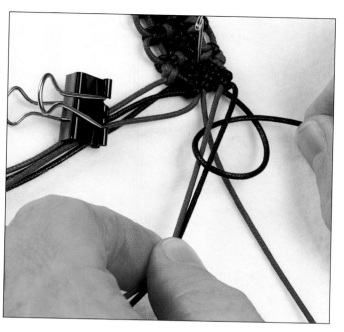

3 Ahora quedan en el centro cuatro cordones negros. Utilizar dos como soporte. Hacer cuatro NP con los cuatro cordones negros. Con los dos cordones rojizos de la izquierda y de la derecha, hacer siete NFA.

Dividir los ocho cordones en grupos de cuatro (dos rojizos y dos negros). Hacer un NP en cada grupo. Reagrupar los cordones dejando dos cordones inactivos a la izquierda y a la derecha. Hacer un NP en los cuatro cordones restantes. Repetir dos veces esta secuencia de reagrupamiento.

5 Hacer una segunda fila de NCo. Consultar este proceso en la página 17.

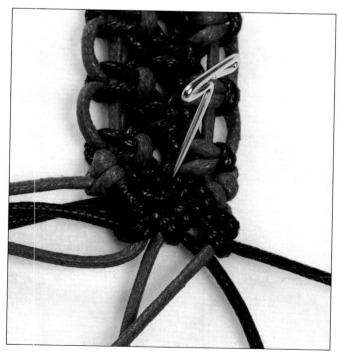

4 Completar el diseño haciendo una fila de NFD en diagonal hacia abajo, debajo de los nudos planos.

6 Terminar el llavero con una trenza larga de cuatro cabos. Mantener por parejas los cordones rojizos y los negros al trenzar. Cuando la trenza mida unos 12,5 cm, sujetarla con un NS. Con las tijeras, cortar los cabos rectos o al bies.

# Cinta de sombrero vaquero

*¿Qué joven no se sentiría orgulloso, por muy urbano que sea, de lucir esta original cinta en un sombrero vaquero?*

| MATERIALES |
| --- |
| 10 m de cordel de cáñamo fino |
| 20 cuentas de vidrio negras, de unos 9,5 mm de diámetro |
| Tijeras |
| Tablero de trabajo |
| Alfileres en T |

**TAMAÑO DE LA PIEZA TERMINADA**

61 cm de largo

**NUDOS Y MÉTODO DE TRABAJO**

Nudo simple (NS), nudo plano (NP), nudo de festón doble (NFD)

Empezar a trabajar desde el centro

# Preparación de los materiales

Medir y cortar seis trozos de cordel de 1,6 m de largo cada uno. Hacer un nudo simple en el centro con los seis cordeles y anclarlos en el tablero prendiendo un alfiler en T por el nudo.

1 Hacer un NP utilizando cuatro cordeles como soporte.

2 Dejar los dos cordeles de fuera inactivos. Hacer un NP con los otros cuatro cordeles.

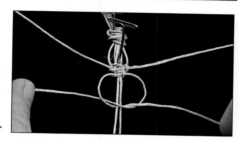

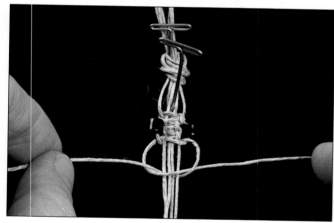

3 Enfilar una cuenta de vidrio negra en cada cordel inactivo de fuera. Con esos cordeles, hacer un NP sobre cuatro cordeles de soporte. El nudo mantiene las cuentas en su sitio.

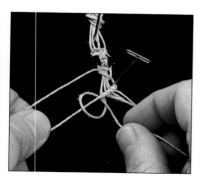

4 Anclar el cordel de la derecha con un alfiler en T debajo del NP que se acaba de hacer. Sostener el cordel en diagonal sobre los otros cinco cordeles. Hacer una fila de NFD (ver foto).

Hacer un NP con los cuatro cordeles de la derecha. Hacer un NP con los cuatro cordeles de la izquierda. Hacer un NP con los cuatro cordeles de la derecha.

Anclar el cordel de la izquierda con un alfiler en T. Sostener el cordel en diagonal sobre los otros cinco cordeles. Hacer una fila de NFD. De este modo se completa el primer dibujo.

Repetir tres veces los pasos 1 a 4.

5 Deshacer el nudo simple y anclar el nudo del dibujo con un alfiler en T. Repetir los pasos 1 a 4 cuatro veces. Para que los dibujos queden simétricos, se ancla el cordel de la izquierda para la primera fila de NFD, trabajando de izquierda a derecha. El primer NP también se hace con los cuatro cordeles de la izquierda.

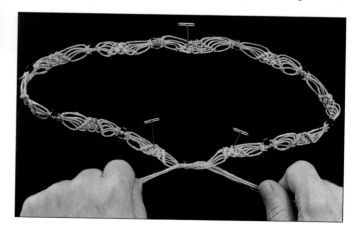

6 Pasar la cinta alrededor de la copa del sombrero para comprobar el largo. Unir los extremos de la cinta con un nudo plano. Cortar los cabos a unos 2,5 cm del nudo. Si se desea, se puede sellar el nudo con un poco de pegamento transparente para manualidades.

# Fleco de echarpe neo-victoriano

*Las damas victorianas hacían labores de macramé infinitas con las que adornar ropas de casa y de vestir. El sencillo diseño de este fleco resulta fácil de ampliar para guarnecer un echarpe más ancho. Y si se tiene auténtico espíritu victoriano, se puede rematar con él todo un mantel, o las cortinas del salón.*

### TAMAÑO DE LA PIEZA TERMINADA

El fleco de 15 cm está pensado para una bufanda de 15 cm de ancho*

*El dibujo de una sola unidad del fleco se puede aumentar para un echarpe más ancho. Se añaden unidades de ocho cordones (cuatro azules y cuatro verdes) para aumentar el ancho a voluntad.

### NUDOS Y MÉTODO DE TRABAJO

Nudo de cabeza de alondra (NCA), nudo plano (NP), nudo de festón doble (NFD), nudo de festón alterno (NFA), nudo simple (NS)

Trabajar desde un extremo

| 29 m de hilo para ganchillo de algodón mercerizado n.º 3 (azul marino) |
| 30 m de hilo para ganchillo de algodón mercerizado n.º 3 (verde) |
| Regla o cinta métrica |
| Tijeras |
| Tablero de trabajo |
| Alfileres en T |
| Aguja de tapicería |
| Aguja de coser |
| Hilo |

## Preparación de los materiales

Medir y cortar una hebra de hilo verde de 60 cm de largo. Medir y cortar 32 hebras de hilo azul y 32 de hilo verde de 90 cm de largo cada una. Doblar por la mitad la hebra de 60 cm y hacer un NS a unos 5 cm de cada extremo. Prender esta hebra sobre el tablero, pasando los alfileres por los nudos. Es el cordón de anclaje.

Hallar el centro de una hebra azul. Montar la hebra en doble sobre el cordón de anclado con un NCA. Montar otras tres hebras azules y luego cuatro verdes. Seguir montando hebras sobre el cordón de soporte (cuatro azules, cuatro verdes) hasta haberlas utilizado todas. En total se tienen 64 hebras de anudado.

1 Empezar a anudar el grupo de la izquierda de hebras azules. Hacer un NP con dos hebras de soporte. Hacer un NP con cada grupo de cuatro hebras azules. Se hacen dos NP azules. Hacer dos NP con las hebras verdes.

Volver a las hebras azules que se acaban de anudar. Dejar a la izquierda dos hebras inactivas. Reagrupar las hebras azules y hacer un NP (ver foto). Trabajando de izquierda a derecha, hacer otros dos NP. Para un NP se combinan dos hebras azules y dos verdes. Seguir trabajando hacia la derecha utilizando el resto de las hebras verdes, dejando las dos últimas inactivas.

Volver hacia la izquierda y reagrupar las hebras para la tercera fila. Dejar cuatro hebras inactivas. Hacer un solo NP en cada grupo de cuatro, dejando cuatro hebras inactivas al final de la fila. En esta fila habrá dos nudos. Volver hacia la izquierda y reagrupar de nuevo, dejando seis hebras inactivas a la izquierda. Hacer un NP con las cuatro hebras restantes (dos azules, dos verdes). Dejar seis hebras inactivas a la derecha.

tapicería. Tejer cada uno de los cabos de la hebra por el revés de los NCA (ver foto) en un trecho de unos 2,5 cm. Repetir el proceso al otro extremo de la hebra de anclado. Cortar los cabos a ras con las tijeras.

2 Anclar la hebra azul de la izquierda con un alfiler en T. Sujetar la hebra en diagonal por debajo de los nudos planos. Hacer una fila de NFD con las siete hebras azules restantes. Tomar la siguiente hebra azul de la izquierda y hacer otra fila de NFD. Repetir esta secuencia a partir de la derecha con las hebras verdes.

Formar el fleco anudado con grupos de dos hebras. Hacer 40 NFA en cada grupo de dos hebras (ver foto). Hacer un NS debajo del último NFA de cada unidad de dos hebras. Trabajar de izquierda a derecha hasta terminar el fleco anudado de la primera unidad de diseño.

Repetir los pasos 1 y 2 para cada una de las demás unidades.

4 Coser el fleco al borde del echarpe. Hacer un segundo fleco para el otro lado del echarpe.

3 Retirar el fleco del tablero. Dar la vuelta al fleco. Deshacer el NS de un extremo y enhebrar los dos extremos de la hebra de anclado en la aguja de

# Adorno de rejilla para cojín

*Esta celosía sobre el cojín es como una invitación a volver a casa y arrellanarse en el sillón como si fuera un nido. La labor de macramé destaca la elegancia de su dibujo sobre un cojín sencillo.*

### TAMAÑO DE LA PIEZA TERMINADA
30,5 x 30,5 cm

### MATERIALES

Cojín cuadrado de 30,5 cm de lado

40 m de cordón de nailon para ganchillo

Tijeras

Regla o cinta métrica

Tablero de trabajo con una cuadrícula de 30 x 30 cm en cuadros de 2,5 cm*

Alfileres en T

Alfileres rectos

Aguja de coser

Hilo

*Si no se quiere dibujar la cuadrícula en la tela del tablero, se dibuja en un papel del tamaño del tablero y se prende o sujeta el papel con cinta adhesiva sobre el tablero.

### NUDOS Y MÉTODO DE TRABAJO
Nudo plano (NP), nudo simple (NS)

Se trabaja desde el centro

# Preparación de los materiales

Cortar 44 trozos de cordón de 90 cm de largo cada uno. Reunirlos de cuatro en cuatro con un nudo simple en el centro. Preparar 11 grupos. Anclar los nudos simples con un alfiler en T, distanciando los grupos por igual sobre la línea central de la cuadrícula dibujada en el tablero.

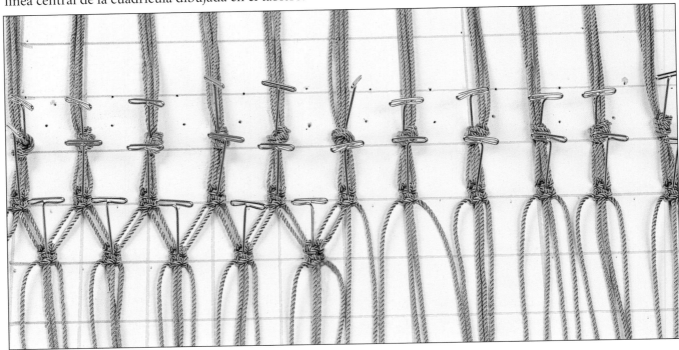

1 Hacer dos NP en cada grupo de cuatro cordones. Prender los nudos terminados con un alfiler en T sobre la línea de la cuadrícula. Reagrupar los cordones de cuatro en cuatro dejando dos inactivos a la izquierda y a la derecha. Hacer dos NP en los nuevos grupos de cuatro. Habrá 10 grupos de NP en esta segunda fila (ver foto).

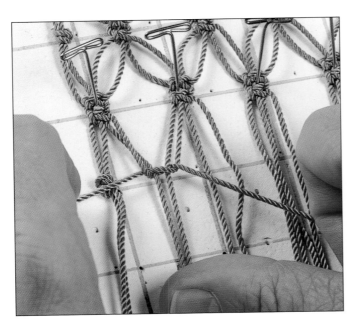

2 Hacer un NS en cada dos cordones inactivos sin anudar de la izquierda y de la derecha. Centrar los NS sobre la cuadrícula y sujetarlos con un alfiler en T.

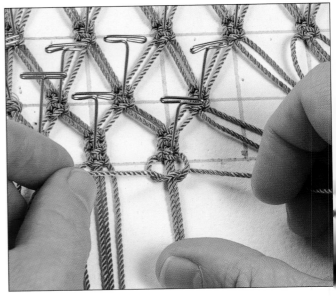

3 Hacer otras cuatro filas alternativas de NP y de NS hasta tener en total seis filas. Hacer una séptima fila de NP, esta vez con tres NP en cada grupo de cuatro cordones.

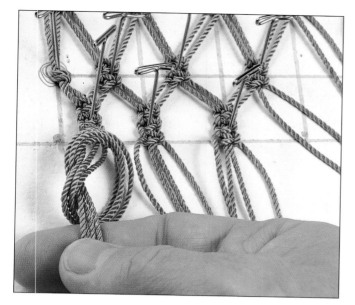

4 Hacer un NS en cada grupo y llevarlos sin apretar hasta el último nudo plano (ver foto).

Girar el tablero. Quitar los alfileres en T arriba de la primera fila de NS prendidos. Poner los alfileres en la primera fila de NP. Deshacer los NS. Seguir las indicaciones de los pasos 1 a 3. Terminar este lado con NS.

5 Si el cojín tiene funda, quitarle el relleno. Si no, centrar el macramé sobre el cojín. Prender la labor sobre el cojín por todos los lados con alfileres rectos.

6 Enhebrar una aguja con hilo a tono con la funda del cojín. Coser a mano la labor de macramé, pasando por encima de los nudos de los extremos todo alrededor del cojín. Si se desea, se pueden coser también los nudos del centro.

# Collar y colgante Ciruela

*Los aficionados veteranos al macramé ya conocen los placeres de trabajar con hilo de lino —es el Rolls Royce de los materiales para labores—. Esta interpretación clásica de un collar de nudos nos sumerge en los placeres de manipular el lino. Pero cuidado, ¡cuando se ha trabajado con lino no se quiere cambiar a ninguna otra fibra!*

### TAMAÑO DE LA PIEZA TERMINADA
4,8 cm en la parte más ancha del colgante; el largo total del collar es de unos 33 cm

### MATERIALES

16,2 m de hilo de lino de grosor mediano

Cuenta de vidrio negra de 10 mm

12 cuentas negras de vidrio brillante, de unos 5 mm de diámetro

5 cuentas negras de vidrio escarchado, de unos 6 mm de diámetro

Regla y cinta métrica

Tijeras

Tablero de trabajo

Alfileres en T

### NUDOS Y MÉTODO DE TRABAJO
Nudo de festón doble invertido (NFDI), nudo plano (NP), nudo simple con presilla (NSPr), nudo de festón doble (NFD), nudo simple (NS), trenza de tres cabos

Empezar en un extremo

# Preparación de los materiales

Medir y cortar seis trozos de hilo de 2,7 m de largo cada uno. Tomar tres hebras y alinear los extremos. Enfilar en las tres hebras la cuenta negra de 9,5 mm. Deslizarla hasta el centro de las tres hebras. Reservar este grupo. Hallar el centro de las otras tres hebras. Hacer un NSPr a unos 10 cm arriba del centro de estas tres hebras.

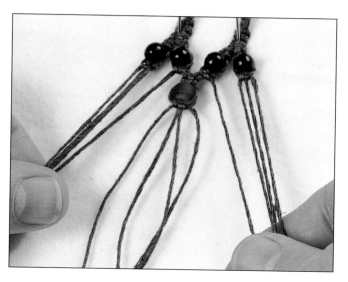

## UNIR LA PRESILLA Y EL CIERRE

2 Colocar la presilla y el cierre terminados a unos 1,3 cm de distancia sobre el tablero. Anclar cada uno con un alfiler en T. Dividir las hebras en cuatro grupos de tres hebras. Hacer dos NP en cada grupo. Enfilar una cuenta negra de 5 mm en la hebra de soporte de cada grupo. Sujetar las cuentas con un NP.

## PRESILLA Y CIERRE DE ABROCHAR

1 Con un alfiler en T anclar sobre el tablero el grupo de hebras con el NSPr. Tomar una hebra que será la de anudado. Sostener las otras dos hebras tirantes con la otra mano y hacer 10 NFDI con la hebra suelta. Quitar el alfiler en T del tablero y deshacer el nudo con presilla. Dar forma de anillo a la sección anudada, formando debajo un grupo de seis hebras. Con las dos hebras de los lados hacer tres NP en torno a las otras cuatro; de este modo se forma la presilla del collar. Dividir las seis hebras en tres grupos de dos hebras. Hacer una trenza de tres cabos de 23 cm de largo. Rematar la trenza con tres NP. Reservar esta unidad.

Tomar las tres hebras con la cuenta enfilada. Anclar la cuenta y las hebras sobre el tablero con un alfiler en T. Reunir las hebras debajo de la cuenta. Con las dos hebras de los lados hacer tres NP alrededor de las cuatro hebras de soporte. Dividir las seis hebras en tres grupos de dos hebras. Hacer una trenza de tres cabos de 23 cm de largo. Rematar la trenza con tres NP. Reservar esta unidad.

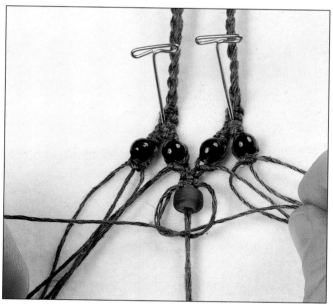

3 Dividir las hebras en tres grupos de cuatro hebras. Hacer dos NP en cada grupo. Ensartar una cuenta escarchada de 6 mm en la hebra de soporte de cada grupo. Sujetarlas con un NP debajo de cada una. Dejar dos hebras inactivas a la derecha y a la izquierda. Reagrupar las otras ocho hebras en dos grupos de cuatro. Hacer un NP en cada grupo. Dejar inactivas

cuatro hebras a la izquierda y a la derecha y hacer un NP con las otras cuatro hebras.

Hacer dos filas de NFD en diagonal debajo de los nudos planos. Sostener la hebra de la izquierda en diagonal sobre cinco hebras. Hacer una fila de NFD con cinco hebras. Tomar la hebra de la izquierda y hacer otra fila de NFD sobre cuatro hebras. Repetir esta secuencia con las hebras de la derecha.

la primera utilizando la segunda hebra a partir de la unidad central. Repetir esta secuencia a la derecha.

Localizar y tomar las cuatro hebras del centro. Hacer tres NP (ver foto).

Ahora se han hecho dos filas de NFD simétricas de las filas de NFD antes descritas. Se ha formado un dibujo de rombo en torno a los NP. Dividir las hebras de la unidad de NP en dos grupos y hacer dobles filas de NFD.

## COLGANTE CENTRAL

4 Empezar a trabajar con las cuatro hebras del centro. Hacer un NP. Enfilar una cuenta negra brillante en las dos hebras de soporte. Sujetar la cuenta con un NP. Enfilar una cuenta escarchada en las dos hebras de soporte, y sujetarla con un NP. Enfilar una cuenta negra brillante en las hebras de soporte y sujetarla con un NP.

Tomar dos hebras a la izquierda de la unidad recién anudada y hacer 15 NFDI. Tomar las dos hebras contiguas y hacer 18 NFDI. Repetir esta secuencia con las cuatro hebras de la derecha.

Dividir en dos grupos las hebras utilizadas para la unidad de NP. Tomar la hebra de fuera del grupo de la izquierda. Anclarla con un alfiler en T. Sujetar la hebra en diagonal sobre las hebras de las dos unidades de NFDI de la izquierda. Hacer una segunda fila debajo de

5 Terminar el collar con tres unidades de cuentas. Localizar las cuatro hebras centrales. Hacer un NP y enfilar una cuenta escarchada violeta en las hebras de soporte. Sujetar la cuenta con un NP. Enfilar una cuenta negra brillante en las hebras de soporte, deslizarla a su sitio y sujetarla con un NP. Añadir otra cuenta negra brillante y sujetarla con un NP. Hacer un NS, apretándolo contra el NP (ver foto).

Trabajar con las cuatro hebras de la izquierda y hacer un NP, enfilar una cuenta negra brillante y sujetarla con un NP. Añadir otra cuenta negra brillante y sujetarla con un NP. Terminar esta unidad con un NS.

Cortar los cabos como se desee. Repetir con el grupo de la derecha.

# ¡Op! Estuche para gafas

*Este estuche es lo mejor para no meter las gafas en la cartera o dejarlas en el asiento del coche. Está realizado con cordones flexibles de algodón en blanco y negro y es —literalmente— una pieza de Op(tical) Art.*

## MATERIALES

1 trozo de cartón ondulado grueso
de 7,5 x 30,5 cm*

25,6 m de hilo de estambre de algodón blanco
de 4 cabos

25,6 m de hilo de estambre de algodón negro
de 4 cabos

Botón decorativo de unos 2 cm
de diámetro

Regla o cinta métrica

Tijeras

Tablero de trabajo

Alfileres en T

2 trozos de hilo de cualquier color, de unos 15 cm de largo

Aguja de tapicería o de zurcir

*Medir y cortar el cartón de una caja que se vaya a reciclar.

### TAMAÑO DE LA PIEZA TERMINADA
9,2 x 18 cm

### NUDOS Y MÉTODO DE TRABAJO
Nudo de cabeza de alondra (NCA), nudo plano (NP),
nudo simple con presilla (NSPr), nudo de festón
doble invertido (NFDI), nudo simple (NS)

Se trabaja en redondo

## Preparación de los materiales

Medir y cortar un trozo de 46 cm de largo de cordón blanco para el soporte. Medir y cortar dos trozos de cordón negro de 70 cm para el cierre. Reservar.

Medir y cortar 18 hebras de algodón blanco de 1,4 m cada una. Medir y cortar 18 hebras de algodón negro de 1,4 m cada una.

Centrar un trozo de 46 cm de algodón blanco a lo ancho del cartón ondulado. Pasar el cordón por detrás del cartón y de nuevo hacia el frente, atando los extremos con un NP. Situar el cordón atado a unos 7,5 cm por encima del cartón. Éste es el cordón de anclaje. Prender el cartón sobre el tablero de trabajo con alfileres en T.

2 Tomar cuatro hebras blancas. Hacer un NP. Hacer otro NP en el siguiente grupo de hebras. Seguir por toda la fila, quitando los alfileres para dar la vuelta al cartón y volviéndolos a poner. Continuar la fila todo alrededor.

1 Doblar por la mitad una hebra de 1,4 m de algodón blanco y montarla sobre el cordón de soporte con un NCA. Montar otra hebra de algodón blanco de igual manera y dos hebras de algodón negro sobre el cordón de soporte con un NCA. Seguir montando hebras por parejas: dos blancas y dos negras. Montar unas hebras encima del NP con que se ató el cordón de soporte. Quitar los alfileres y dar vuelta al cartón. Se montan 18 hebras por cada lado. Cortar los cabos sueltos del cordón de soporte según haga falta.

3 Cuando esté terminada la primera fila, se agrupan las hebras. Tomar dos blancas y dos negras y hacer un NP. Seguir así la fila todo alrededor, reagrupando las hebras y haciendo NP. Hacer ocho filas de NP sencillos alternos.

La fila 9 se hace con dos NP en cada grupo de cuatro hebras. La fila 10 se hace con NP sencillos. Repetir las filas 9 y 10 dos veces.

El resto del estuche se hace con filas alternas de NP sencillos. Hacer 28 filas de NP alternos.

## TERMINAR EL ESTUCHE

**4** Identificar las cuatro hebras a cada lado del estuche (dos blancas y dos negras) y atar cada grupo de cuatro hebras con un cordoncito rojo. Doblar un poco el cartón y sacarlo de la labor. Volver ésta de dentro afuera y meter en su interior otra vez el cartón. Pasar el cartón hasta que quede su borde inferior a ras de la última fila de nudos. Peinar las hebras con los dedos, dejándolas caer del lado del estuche que corresponda. Comprobar que los grupos atados con el cordoncito rojo quedan a cada lado del cartón. Atar el fondo del estuche con nudos planos sin cordón de soporte. Los grupos del cordoncito rojo se atan los últimos. Tomar un par de hebras de cada lado junto a uno de los pares marcados. Hacer un NP (ver foto). Tirar de él para apoyarlo contra el cartón. Tomar el siguiente par y hacer un NP. Seguir por toda la fila, tomando los pares por orden hasta tenerlos todos atados. Quitar el cordón rojo y atar el par con un NP. Cortar con las tijeras los extremos de las hebras a 6 mm.

**5** Volver el estuche de dentro afuera, empujando el fondo con los pulgares mientras se bajan los laterales. Volver bien las esquinas con los dedos, antes de volver del todo el estuche.

## EL CIERRE

**6** Con una hebra negra de 15 cm, coser un botón en el frente del estuche. Pasar la hebra por los agujeros o por el cuello del botón, tirar de los extremos y centrar el botón sobre la hebra. Hacer un NP. Hallar el nudo central de una de las caras del estuche y enhebrar el hilo negro en una aguja de tapicería. Sacar la hebra por el estuche a un lado del nudo central (ver foto, página 49). Quitar la aguja y repetir con el otro extremo de la hebra. Hacer un NP con los extremos de la hebra a un lado del estuche. Terminar con un NS apretado. Cortar los cabos.

7 Tomar dos hebras negras de 70 cm. Sujetarlas en el centro con un NSPr. Prender el nudo sobre el tablero y hacer 20 NFDI.

9 Enhebrar dos de las hebras en la aguja. Hallar el nudo central de la fila 3 en el dorso del estuche. Pasar las hebras hacia el interior del estuche a un lado del nudo central. Repetir con las otras dos hebras. Hacer con las cuatro hebras un NP. Rematar con un NS en cada par.

8 Quitar el nudo simple con presilla, unir las cuatro hebras para formar una presilla. Prender la presilla sobre el tablero y hacer ocho NP.

# Estuche y llavero

*En el estuche se puede guardar cualquier cosa y viajar ligero de equipaje. Las llaves en el llavero y el D.N.I. un par de tarjetas de crédito en el estuche es cuanto se necesita.*

**TAMAÑO DE LA PIEZA TERMINADA**
6,5 x 9 cm

## MATERIALES

Un trozo de cartón ondulado grueso de 5 x 18 cm*

Anilla de metal de unos 1,5 cm de diámetro

Anilla de metal para llavero

25 m de hilo de algodón para ganchillo, color avena

25 m de hilo de algodón para ganchillo, azul

Regla o cinta métrica

Tijeras

Tablero de trabajo

Alfileres en T

Aguja de tapicería

*Medir y cortar un trozo de una caja de cartón ondulado que se vaya a reciclar

**NUDOS Y MÉTODO DE TRABAJO**
Nudo de cabeza de alondra (NCA), nudo plano (NP), nudo de festón doble (NFD)

Se trabaja en redondo

## Preparación de los materiales

Medir y cortar tres trozos de hilo color avena, de 91 cm cada uno. Medir y cortar 18 trozos de 1,2 m de largo de hilo color avena. Medir y cortar 18 trozos de hilo azul de 1,2 m de largo.

Anclar la anilla sobre el tablero con un alfiler en T. Doblar por la mitad cada trozo color avena de 91 cm. Montar cada hebra sobre la anilla con NCA. Quedan seis hebras de trabajo. Hacer cuatro NP en torno a dos hebras soporte.

**3** Enhebrar una de las hebras de anudado en una aguja de tapicería. Pasar la aguja con la hebra por debajo de los NP. Repetir con la otra hebra. Cortar los cabos a ras de los nudos.

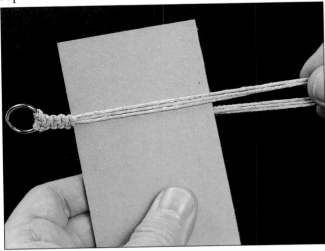

**1** Retirar la anilla del tablero. Pasar la tira de cartón entre las hebras color avena, como se ve en la foto, poniendo tres hebras a cada lado. La tira de cartón mantiene separadas las dos caras del estuche mientras se trabaja. Envolver el cartón con las hebras pasando éstas hasta los NP. Estas hebras son las de anclaje.

**4** Colocar el cartón sobre el tablero con la anilla a la izquierda. Tomar una de las hebras azules largas, doblarla por la mitad y montarla sobre el cartón de anclaje con un NCA. Montar otra hebra azul de igual manera. Montar dos hebras color avena con NCA. Seguir montando las hebras largas por parejas, alternando los colores, todo alrededor del cartón.

**2** Sujetar el cartón entre las rodillas con la anilla hacia dentro. Tomar una hebra de cada lado y utilizarlas como hebras de anudado. Hacer cuatro NP en torno a las demás hebras, incluida la serie de NP ya hecha.

Cuando estén montadas todas las hebras, comprobar el esquema de color y rectificar si no se alternan los colores, desplazando las parejas que corresponda.

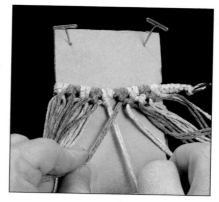

**6** La anilla queda ahora a la derecha. Reagrupar los hilos para empezar la segunda vuelta, Trabajar hacia la izquierda, poniendo el par de la derecha encima del de la izquierda.

Utilizar un par azul y un par avena para hacer un NFD. Trabajar todo alrededor del cartón.

En total se hacen 24 filas, reagrupando los hilos al terminar cada una y trabajando de vuelta cada vez hasta el punto de partida.

### ACABADO DEL ESTUCHE

**7** Anudar un cordoncito de otro color en torno al par de hebras de cada extremo del cartón (ver foto). Doblar el cartón un poco para sacar el estuche. Darle la vuelta de dentro afuera e introducir en él de nuevo el cartón, hasta que la última fila de nudos coincida con el borde del cartón.

Peinar las hebras con los dedos, dejándolas caer del lado del cartón que corresponda. Comprobar que los pares marcados quedan en las esquinas. El fondo del estuche se remata con NP hechos sin hilos de soporte. Los pares marcados se anudan los últimos.

Tomar un par de hebras de cada cara del cartón empezando por un par marcado. Hacer un NP y apretarlo contra el borde del cartón. Tomar el siguiente par y hacer otro NP. Seguir hasta tener anudados todos los pares iguales. Retirar los cordoncitos de señal y atar cada par con un NP. Cortar los cabos con las tijeras. Volver el estuche de dentro afuera, sacando bien las esquinas con los dedos.

Pasar la anilla de llavero por la otra anilla.

**5** Para formar el dibujo se trabaja con dos pares de hebras al mismo tiempo. Aunque parezca complicado, no lo es. Si se está atento a los cambios de color del dibujo, cualquier error salta a la vista y se puede enmendar fácilmente. Empezar con la anilla a la izquierda y trabajar hacia la derecha. Sostener el primer par de hebras azules sobre el siguiente par azul. Hacer un NFD con el par derecho en torno al izquierdo. Tomar la siguiente hebra doble color avena, sostenerla cruzada sobre el siguiente par avena y hacer un NFD con el par derecho sobre el izquierdo. Seguir formando nudos todo alrededor del cartón hasta regresar junto a la anilla. Se habrán trabajado todos los pares de hebras.

# Pulsera de reloj Arena

*Intemporal… así es el estilo de esta pulsera finamente trabajada. ¡Para él o para ella!*

| MATERIALES |
| :---: |
| Hebilla para pulsera de reloj |
| 12 m de cordel de nailon encerado |
| Regla o cinta métrica |
| Tijeras |
| Tablero de trabajo |
| Alfileres en T |
| Pegamento transparente para manualidades |

**TAMAÑO DE LA PIEZA TERMINADA**

23 cm de largo

**NUDOS Y MÉTODO DE TRABAJO**

Nudo plano (NP), nudo de festón doble invertido (NFDI), nudo de cabeza de alondra (NCA), nudo de festón doble (NFD)

Se trabaja desde un extremo

# Preparación de los materiales

Medir y cortar cuatro trozos de cordel de 2,4 m de largo. Medir y cortar dos trozos de cordel de 61 cm de largo y reservar estos trozos.

1 Hallar el centro de un cordel largo. Doblarlo por la mitad y montarlo en la barra de la hebilla con un NCA. Montar igual los demás cordeles largos. Comprobar que quedan dos cordones a cada lado de la aguja de la hebilla y sujetar ésta en el tablero con dos alfileres en T.

Dividir las hebras en dos grupos. Hacer un NP en cada grupo. Dejar dos hebras inactivas a cada lado y hacer un NP en el grupo central de cuatro hebras. Repetir seis veces este esquema de NP alternos. En total se habrán anudado 14 filas.

2 Tomar la hebra de la izquierda. Hacer dos filas diagonales de NFD debajo de los nudos planos. Repetir este proceso al otro lado.

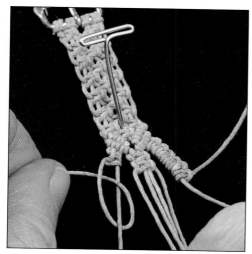

Con las cuatro hebras del centro hacer dos NP. Con las dos hebras del extremo derecho, hacer seis NFDI. Hacer otros seis NFDI al lado izquierdo (ver foto).

Tomar la cuarta hebra de la izquierda y sujetarla en diagonal hacia abajo y a la izquierda sobre tres hebras y hacer NFD. Repetir este proceso utilizando como soporte la cuarta hebra de la izquierda. Repetir a la derecha el esquema de NFD.

3 Tomar las cuatro hebras del centro y hacer un NP. Reagrupar todas las hebras en dos grupos de cuatro. Hacer un NP en cada grupo. Repetir dos veces las dos filas de NP.

Numerar mentalmente las hebras de izquierda a derecha, del 1 al 8. Combinar las hebras 3 y 4 con las 5 y 6 y hacer un NP. Dejar inactivas las hebras 1, 2, 3 y 4. Combinar las hebras 5 y 6 con las 7 y 8 y hacer un NP. Repetir esta secuencia en orden inverso hacia la izquierda y de nuevo hacia la derecha.

Utilizando las cuatro hebras centrales, hacer un NP. Reagrupar las ocho hebras en dos grupos de cuatro y hacer un NP en cada grupo. Repetir dos veces esta secuencia. Hacer un NP con las cuatro hebras centrales.

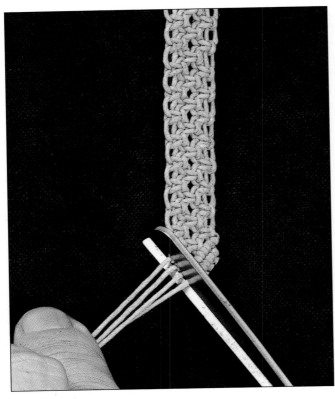

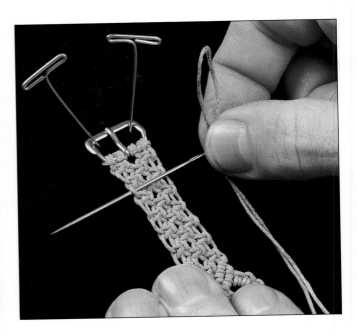

4 Repetir el esquema del paso 2. Se termina con dos filas de NFD.

Tomar las cuatro hebras del centro y hacer un NP. Hacer ahora 26 filas de NP alternos. En total se tienen 27 filas de NP.

Tomar la hebra exterior de cada lado y hacer una fila diagonal de NFD utilizando tres hebras. Hacer otra fila en la misma dirección. Repetir al otro lado, terminando la pulsera en pico.

Unir los dos lados del pico de la pulsera. Sujetar la última hebra de soporte de nudo sobre la cuarta hebra del grupo opuesto. Hacer un NFD con esta hebra. Cortar los cabos a ras de los nudos. Aplicar un poco de pegamento transparente sobre los cabos cortados y dejar secar.

## TRABILLAS DE LA PULSERA

5 Tomar un cordel de 61 cm y doblarlo por la mitad. Pasar el doblez por una aguja de tapicería. Contar cuatro filas en la pulsera a partir de la hebilla para terminar en un NP suelto. Pasar la aguja por debajo de la hebra de la izquierda y tirar del cordel enhebrado.

6 Hacer un NCA para anclar el cordel en la hebra inactiva a la izquierda del NP.

Anclar el segundo cordel sobre la pulsera dos filas por debajo del anterior.

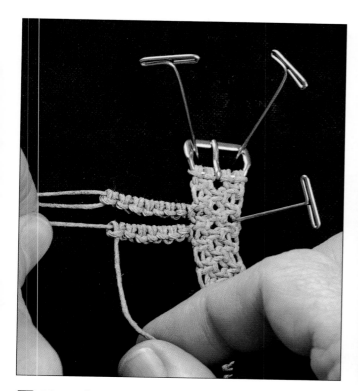

7 Hacer siete NFDI en cada par de hebras
de los cordeles.

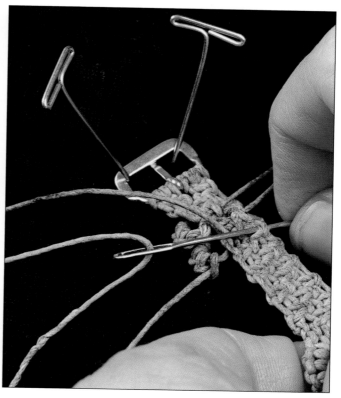

9 Volver la pulsera hacia el revés. Trabajar con cada
cordel por separado. Enhebrar una hebra suelta
en la aguja. Pasar esta hebra por debajo de la presilla
posterior de uno de los NP. Repetir con cada hebra.
Cortar las hebras a ras de la pulsera y aplicar en los
cortes pegamento transparente. ¡Dejar secar el
pegamento completamente antes de lucir el reloj
con su nueva pulsera!

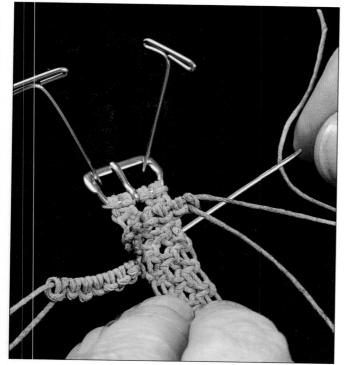

8 Trabajar con cada cordel por separado. Llevar la
hebra de soporte de cada cordel hacia el lado
opuesto del anclaje. Pasar la hebra por entre dos hebras
inactivas de la pulsera y tirar hacia el revés de la
pulsera. Repetir con el otro cordel.

# Alforja con estilo

*La vida es puro juego malabar y sólo tenemos dos manos. ¿Por qué añadir una carga más a todos esos elementos imprescindibles: móvil, cartera, bolsa del gimnasio y quizá un bebé? Confeccionar esta alforja es asegurarse más adelante una mano libre y la posibilidad de disponer del agua de vida.*

**TAMAÑO DE LA PIEZA
TERMINADA**

55 cm de largo

## MATERIALES

55 m de cordón de algodón retorcido

2 anillas de metal de unos 2,5 cm de diámetro

Tijeras

Regla o cinta métrica

Alfileres en T

Gomas elásticas

Cinta de pintor

Tablero de trabajo

Botella de agua*

*Este proyecto se empieza en el tablero de trabajo y luego se continúa anudando directamente sobre la botella de agua. La botella estará llena para ofrecer mayor sujeción a la labor.

### NUDOS Y MÉTODO DE TRABAJO

Nudo de cabeza de alondra (NCA), nudo plano (NP), nudo de festón (NF), nudo de festón doble (NFD), nudo de festón alterno (NFA), nudo de cordoncillo (NCo), nudo simple (NS)

Se trabaja en redondo y desde un extremo

# Preparación de los materiales

Medir y cortar 18 trozos de cordón de algodón retorcido, de 3,1 m de largo cada uno. Doblar uno de los trozos por la mitad y montarlo en una de las anillas con un NCA. Montar los 18 trozos con NCA. Sujetar la anilla sobre el tablero con unos alfileres en T.

Dividir los cuatro cordones de un grupo en dos grupos de dos y hacer dos NFA. Repetir en los demás grupos de cordones alrededor de la botella.

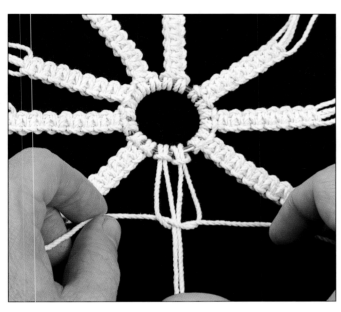

1 Distribuir los cordones sobre el tablero a modo de radios. Separar los cordones en grupos de cuatro. Hacer una serie de ocho NP en cada grupo. Quitar los alfileres.

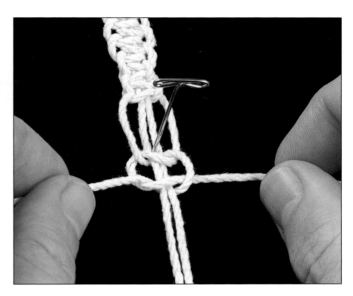

3 Reagrupar los cordones en grupos de cuatro, utilizando dos cordones de las series contiguas de NFA. Hacer dos NP. Hacer luego la primera mitad de un NP, pero sin apretarlo, y dejar un espacio de unos 2 cm. Poner un alfiler en T para mantener la abertura.

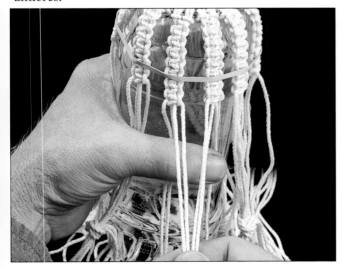

2 Poner boca abajo la botella de agua. Centrar la anilla sobre el fondo de la botella. Sujetar las series de nudos sobre la botella con una goma. Cuando esté puesta la goma, distribuir las series de nudos espaciándolas por igual alrededor de la botella.

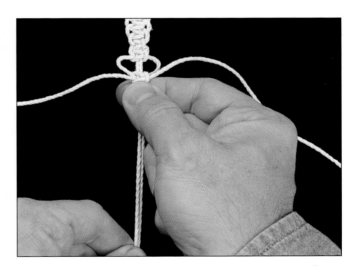

4 Terminar la otra mitad del NP. Quitar el alfiler y deslizar los cordones de soporte hasta la primera mitad del NP. Se forman así unas presillas de adorno. Terminar la serie con un NP apretado contra el NP anterior. Repetir esta secuencia todo alrededor de la botella.

Dividir en dos grupos cada grupo de cuatro cordones y hacer dos NFA en cada grupo.

Reagrupar dos cordones de unidades contiguas, formando grupos de cuatro y hacer una serie de cinco NP. Repetir esta secuencia alrededor de la botella.

Reagrupar los cordones en grupos de dos y hacer dos NFA en cada grupo alrededor de la botella.

5 Reagrupar los cordones en grupos de cuatro. Hacer dos NP, un NP con presilla de adorno y terminar la serie con un NP. Repetir esta secuencia todo alrededor de la botella.

Reagrupar las unidades de cuatro hebras en dos grupos de dos y hacer dos NFA con cada grupo.

Reagrupar los cordones una última vez en grupos de cuatro. Hacer tres NP en cada uno, alrededor de la botella. Ésta es la última parte del esquema que se trabaja alrededor de la botella.

6 Agrupar tres series de NP, formando un grupo de 12 hebras. Reagrupar las 12 hebras: ocho en el centro y dos inactivas a cada lado. Dividir las ocho centrales en dos grupos de cuatro. Hacer un NP en cada uno. Volver a reagrupar, dejando dos inactivas a cada lado. Hacer un NP con las cuatro hebras del centro.

Dividir ahora las 12 hebras en dos grupos de seis. Empezando a la izquierda o a la derecha, anclar la hebra de fuera y sujetarla por encima de cinco hebras. Hacer NFD con las cinco hebras. Hacer una segunda fila debajo de la primera. Repetir las dos filas de NFD al otro lado.

Hacer una fila de NCo a la izquierda y a la derecha (ver foto). Consultar el NCo en la página 17 si fuera necesario. Empezar por cualquier lado. Anclar la hebra de fuera, sostenerla sobre las demás hebras del grupo y hacer un NFD con la segunda hebra. Seguir hasta haber utilizado las seis hebras de ese lado.

Repetir este proceso alrededor de la botella con las demás series de NP.

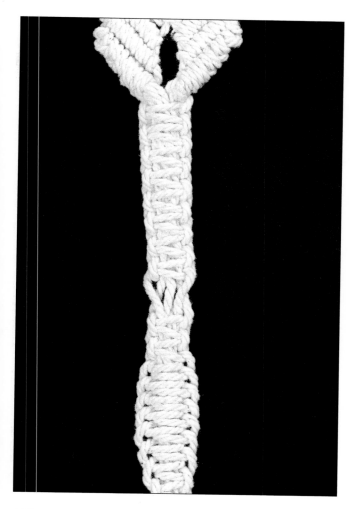

7 Identificar la última hebra utilizada a la izquierda y a la derecha en la última fila de NCo. Con esas dos hebras como anudadoras, hacer dos NP en torno a 10 hebras

Peinar con los dedos las hebras debajo de los NP, seleccionar las dos hebras más cortas y cortarlas justo debajo del NP. Hacer otros dos NP y cortar otras dos hebras. Hacer otros dos NP y cortar otras dos hebras. En total se cortan seis hebras.

Elegir dos hebras largas del centro y retirar una hacia cada lado. Serán las hebras de anudar. Hacer con ellas dos NP.

Hacer 14 NFA con las hebras de fuera en torno a cuatro hebras soporte. Pasar las dos hebras de anudar al centro y elegir dos hebras largas del centro y pasarlas a los lados. Hacer dos NP.

Elegir y cortar las dos hebras soporte más cortas debajo del último NP. Hacer un NP.

Hacer 12 NFA con las hebras de anudar en torno a dos hebras soporte. Terminar por dos NP.

8 Empezar con un NP. Formar una presilla de adorno como la del paso 3. Hacer un NP.

Intercambiar las hebras internas con las de fuera. Hacer tres NP.

Atar esta unidad a una anilla. Situar las dos hebras de anudar debajo de la anilla y las dos hebras soporte encima de la anilla. Hacer dos NP. Utilizar las cuatro hebras para hacer un NS. Cortar los cabos.

Repetir los pasos 7 y 8 todo alrededor de la botella.

# Bolsa de la compra

*Cuando el empleado pregunte "¿bolsa de papel o de plástico?",
se responde con un simple: "sin bolsa, por favor. ¡Tengo la mía!"
Para las compras de última hora en el mercado, esta elegante
red elimina (o al menos reduce) la colección de bolsas
de plástico que se tiene en casa.*

**TAMAÑO DE LA PIEZA TERMINADA**

35,5 X 76 cm

### MATERIALES

176 m de cuerda de cáñamo natural

2 asas de aro de bambú, de unos 12,5 cm
de diámetro

Tablero de trabajo de 40,5 x 61 cm*

Alfileres en T

Tijeras

Regla o cinta métrica

Rotulador

*Hay que fabricar un tablero especial para este
proyecto. Forrar las dos caras del tablero con una
sola capa de tela. Grapar y pegar la tela con cinta
adhesiva sobre el tablero, según se indica en la
página 9.

### NUDOS Y MÉTODO DE TRABAJO

Nudo de cabeza de alondra (NCA), nudo plano
(NP), nudo de festón alterno (NFA), nudo de festón
doble (NFD), nudo simple (NS),
nudo con vueltas (NcV)

Se trabaja desde un extremo y desde el centro

# Preparación de los materiales

Medir y cortar 32 trozos de cuerda de cáñamo de 5,5 m de largo cada uno. Doblar cada trozo por la mitad. Montar 16 trozos doblados en cada aro de bambú, con NCA.

Sujetar con alfileres en T un aro de bambú a cada lado del tablero de trabajo. La parte superior de los aros se sujeta a unos 2,5 cm del borde de arriba del tablero. Peinar y separar las cuerdas con los dedos, ordenándolas.

1 Se empieza por uno de los dos lados del tablero. Tomar las dos cuerdas de la derecha. Hacer 20 NFD y reservar esa unidad. Tomar la siguiente unidad de cuatro cuerdas y hacer tres NP (ver foto).

Intercambiar las cuerdas de anudado con las de soporte. Este intercambio forma un espacio abierto. Con las cuerdas en la nueva posición, hacer tres NP. Volver a intercambiar las cuerdas y hacer otros tres NP. Reservar esta unidad.

2 Tomar la siguiente unidad de cuatro cuerdas; hacer tres NP. Intercambiar las cuerdas de anudado con las de soporte. Hacer otros tres NP y reservar esta unidad. Tomar la siguiente unidad de cuatro cuerdas. Hacer tres NP y reservar esta

unidad. Tomar la siguiente unidad de cuatro cuerdas y hacer dos NP. Ésta es la unidad central. Reservar esta unidad.

Las demás cuerdas se trabajan en orden inverso partiendo de la unidad central de dos NP (habrá una unidad de tres NP; una de NP con un intercambio de cuerdas y una unidad con dos intercambios de cuerdas). En las dos últimas cuerdas se hacen 20 NFA.

Dar la vuelta al tablero y repetir en el otro lado los pasos 1 y 2.

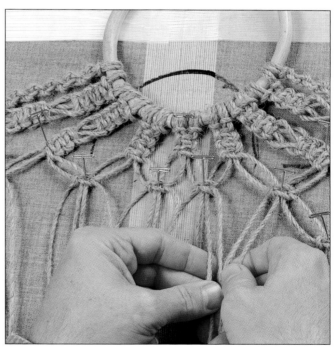

3 Con un rotulador, hacer una marca sobre el tablero al final de la unidad central de dos NP. Medir desde la marca hasta el borde superior del tablero. Marcar esa medida en dos puntos a cada lado del tablero y dibujar una línea sobre el tablero uniendo esos puntos con una regla. Extender las cuerdas espaciándolas por igual a lo ancho del tablero. Anclar el final de la parte anudada de las cuerdas poniendo un alfiler en T junto a la línea dibujada (ver foto).

El cuerpo de la bolsa consiste en un sencillo dibujo de NP alternos. Los nudos se hacen con una separación de unos 2,5 cm. Se empieza a trabajar por uno de los extremos del tablero. Reagrupar las cuerdas y hacer en cada grupo un solo NP. Sujetar cada nudo con un alfiler en T para mantener la separación. Volver el tablero del otro lado y trabajar de la misma manera. Esta vez las dos cuerdas de los extremos se agrupan con dos cuerdas de la vuelta del tablero. Hacer un NP en cada grupo lateral y sujetarlo al borde del tablero con un alfiler en T. Hacer ahora un NP en cada grupo de cuatro cuerdas de toda la fila. Repetir al otro lado. Conforme avance la labor, quitar los alfileres en T que sujetan una fila para ponerlos en la siguiente, pues si no, se necesitarían muchos alfileres.

Hacer 18 filas de NP alternos por cada lado. La última fila quedará junto al borde inferior del tablero.

## CERRAR LA BOLSA

4 Localizar el NP prendido en el lateral del tablero en la última fila. Dividir las cuatro cuerdas en dos grupos de dos. Hacer seis NFA en cada grupo de dos cuerdas. Empezar a la izquierda y sostener la primera cuerda de NFA sobre cuatro cuerdas del NP contiguo. Hacer NFD con las cuatro cuerdas.

5 Sostener la segunda cuerda de la unidad de NFA sobre las cuatro cuerdas que se acaban de utilizar para hacer una segunda fila de NFD.

Repetir los pasos 4 y 5 con las cuerdas del lado derecho. Dar vuelta al tablero y repetir este proceso a la izquierda y a la derecha.

6 El resto del fondo de la bolsa se anuda con una combinación de NP y NS. Se trabaja desde la izquierda o desde la derecha. Tomar las dos cuerdas correspondientes de cada lado de la bolsa. Hacer un NP sin cuerda de soporte. Seguir haciendo NP por todo el fondo de la bolsa hasta haber utilizado todas las cuerdas y tener el fondo atado.

7 Hacer un NS con las cuatro cuerdas usadas para hacer cada NP. Tirar del nudo hacia arriba y apretarlo contra el NP.

8 Hacer un NcV a unos 5 cm del NS de cada cuerda. Cortar con las tijeras los cabos como se desee.

# Muestrario de nudos

*¡Nudos a la vista! Las labores de macramé no tienen por qué ser funcionales. Este proyecto, inspirado en los cuadros de nudos marineros que realizaban los marineros del siglo XIX, y que tanto se aprecian hoy día, es un alarde de artesanía.*

**TAMAÑO DE LA PIEZA TERMINADA**

12,5 x 15 cm

## MATERIALES

27,5 m de cordón de algodón retorcido, de grosor medio

Regla o cinta métrica

Tijeras

Tablero de trabajo

Alfileres en T

Pinzas de papelería

Pegamento transparente para manualidades

## NUDOS Y MÉTODO DE TRABAJO

Nudo simple con presilla (NSPr), nudo de cabeza de alondra (NCA), nudo plano (NP), medio nudo (MN), nudo de festón doble invertido (NFDI), nudo simple (NS)

Se trabaja desde un extremo

# Preparación de los materiales

Medir y cortar dos cordones de 2,4 m de largo. Medir y cortar 16 trozos de cordón de 1,5 m de largo.

1 Doblar por el centro los dos cordones de 2,4 m de largo y hacer un NP a unos 10 cm a cada lado del centro. Estos cordones son la base de anclaje. Poner un alfiler en T en cada NP para prender el cordón de anclaje al tablero. Doblar todos los cordones de 1,5 m por el centro y montarlos con un NCA en el cordón de anclaje. Enrollar los extremos de los cordones de anclaje y sujetarlos con pinzas de papelería.

2 Separar los cordones en dos grupos de 16 hebras. Dividir el grupo de la izquierda en cuatro grupos de cuatro hebras. Hacer un NP con cada grupo. Reagrupar dejando dos hebras inactivas a la izquierda y a la derecha. Hacer un NP en cada grupo de cuatro. Hacer cinco filas de NP alternos en total.

Dividir las 16 hebras de la derecha en grupos de cuatro. Hacer una serie de cinco NP con las cuatro hebras de la derecha y con las cuatro de la izquierda de esta mitad. Hacer medios nudos en cada uno de los grupos centrales de cuatro hebras.

3 Quitar el alfiler en T de la izquierda que sujeta el cordón de anclaje. Prenderlo en el NP de arriba a la izquierda. Quitar la pinza y el nudo simple del anclaje. Utilizar la hebra de la izquierda como anudadora y la derecha como soporte de nudo y hacer cinco NFDI. Poner un alfiler en T en el quinto NFDI.

4 Colocar la hebra de fuera (debajo del NFDI) cruzada sobre las 17 hebras, como hebra soporte. Hacer NFD con las 17 hebras. Poner un alfiler en T en el último NFD y volver hacia la izquierda la hebra de soporte. Hacer otra fila de NFD con las 17 hebras sobre esta hebra de soporte. Quedan dos hebras colgando a

la izquierda. Volver a enrollar estas hebras y a ponerles la pinza.

Repetir los pasos 3 y 4 (hasta este punto) con la mitad derecha del muestrario.

Dividir ahora las 32 hebras en grupos de este modo: un grupo de cuatro; tres de ocho y uno de cuatro hebras (4, 8, 8, 8, 4). Hacer una serie de cinco NP con cada grupo de cuatro, a la izquierda y a la derecha.

Localizar el grupo de ocho central. Prender con un alfiler las dos hebras centrales de este grupo. Sujetar la hebra prendida de la izquierda en diagonal hacia la izquierda. Hacer una fila de NFD con las otras tres hebras de esta mitad del grupo. Repetir con la hebra de la derecha.

Anclar las hebras soporte de nudos que se acaban de utilizar (ahora situadas por fuera de este grupo de ocho). Trabajando con una hebra cada vez, sujetarlas en diagonal y hacer una fila de NFD formando un dibujo de rombo. Hacer un NP con las cuatro hebras debajo del rombo recién formado.

Repetir el dibujo de rombo con los demás grupos de ocho a la izquierda y a la derecha. Hacer un NP debajo de cada rombo.

Quitar la pinza de las hebras inactivas de cada lado. Hacer cinco NFDI a cada lado del muestrario, como en el paso 3. Poner un alfiler en T en el quinto NFDI de cada lado.

Repetir con la hebra soporte procedente de la derecha, haciendo 17 NFD hacia la izquierda. Ahora están conectados los dos lados. Sujetar las dos hebras soporte a cada lado con pinzas y dejarlas inactivas.

6 Separar las hebras en dos grupos de 16 hebras. Trabajar primero con las 16 de la derecha. Tomar las cuatro hebras centrales y hacer un NP, llevándolo contra la fila de NFD. Reagrupar las hebras, tomando dos de la derecha y de la izquierda y combinar cada par con dos hebras del NP. Hacer un NP en cada grupo. Volver a reagrupar las hebras, avanzando hacia la derecha y hacia la izquierda; hacer un NP en cada grupo. Reagrupar otra vez más y hacer un NP en cada grupo de cuatro. Se ha formado una V de siete NP.

Trabajar con las 16 hebras de la izquierda. Hacer un NP en cada grupo exterior de cuatro, llevándolos contra las filas de NFD. Reagrupar las hebras tomando las dos al lado de cada NP; hacer un NP en cada nuevo grupo (el nudo plano no subirá más que el anterior). Reagrupar y hacer un NP a la derecha y a la izquierda. Reagrupar y hacer un NP con las cuatro hebras centrales. Se obtiene una imagen simétrica del lado derecho.

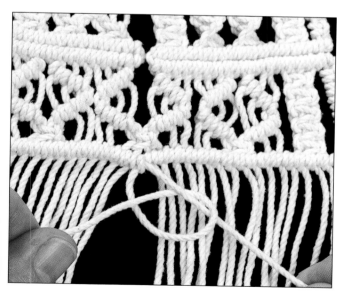

5 Sosteniendo la hebra de fuera hacia el centro, hacer 17 NFD. Repetir con la hebra del otro lado. Tomar la hebra soporte procedente de la izquierda y continuar hacia la derecha haciendo otros 17 NFD.

Quitar la pinza de los cordones inactivos; trabajando con las dos hebras, izquierda y derecha, hacer cuatro NFDI en cada grupo. Anclar las hebras exteriores y hacer filas de NFD como en el paso 3.

7 La sección inferior es casi una repetición de la primera parte del paso 2. Trabajar en grupos de 16 hebras, teniendo cuidado de no incluir en esos grupos los cordones de sujeción. En el grupo de la derecha, hacer siete filas de NP alternos.

En el grupo de la izquierda, hacer dos series de NP a cada lado del grupo. Las series constan de siete NP. En el centro, hacer dos series de MN en espiral, cada una de 14 MN.

8 Hacer ocho NFDI con cada par de cordones de sujeción. Anclar las hebras exteriores de cada juego de cordones de sujeción. Colocar cada cordón por turno por encima de 16 hebras. Hacer una fila de 16 NFD. Anclar a cada lado el segundo cordón de sujeción y hacer otra fila de 16 NFD.

Reunir los cuatro cordones de sujeción en el centro y hacer un NS. Tirar suavemente. Cortar los cordones por debajo del NS con tijeras, según se desee. Cortar las demás hebras a ras de los NFD. Aplicar un poco de pegamento para manualidades sobre los extremos de los pequeños cabos para que no se deshilen.

Con ayuda de unas chinchetas pequeñitas, con puntadas, o con pegamento, montar el muestrario terminado sobre una caja de color oscuro enmarcada.

# Pulsera de alambre

*¡Olvidemos las hebras tradicionales del macramé! Con esta pulsera se exploran nuevos campos de anudado mediante alambres de color. Alambres, sí. Es un poco complicado, pero el resultado bien vale el esfuerzo. Después de practicar con alambres para manualidades, se puede pasar a trabajar con hilos de plata y de oro.*

**TAMAÑO DE LA PIEZA TERMINADA**
23 cm de largo

### MATERIALES

2,5 m de alambre de color
para manualidades de calibre 22,
del color que se prefiera*

3 m de alambre dorado para
manualidades, de calibre 24

2 cuentas redondas grandes

16 cuentas redondas pequeñas

2 cuentas redondas transparentes
de unos 10 mm de diámetro

4 cuentas redondas opacas, de 5 mm
de diámetro

8 cuentas E doradas

Regla o cinta métrica

Corta-alambres o tijeras

Tablero de trabajo

Alfileres en T

Alicates para bisutería
(planos o redondos)

*En las tiendas de manualidades se encuentran varias clases de alambres de color. Esta pulsera está realizada con alambre azul; las cuentas se eligieron a tono. Cada uno se puede dejar seducir (pero no agobiar) por la variedad de colores. Elegir dos cuentas para el centro de la pulsera antes de seleccionar el resto de las cuentas.

**NUDOS Y MÉTODO DE TRABAJO**
Nudo plano (NP), nudo de festón (NF),
nudo de festón alterno (NFA)

Se trabaja desde un extremo

## Preparación de los materiales

Medir y cortar dos trozos de alambre de color, de 1,2 m de largo. Medir y cortar dos trozos de alambre dorado, de 1,5 m de largo.

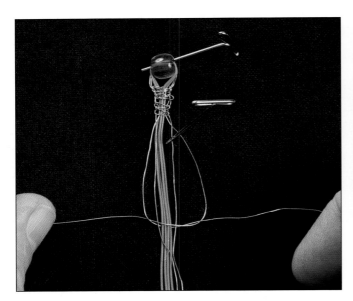

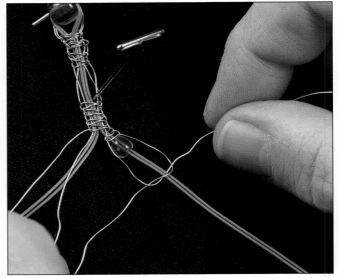

1 Enfilar una cuenta redonda grande en las cuatro hebras de alambre de color y deslizarla hasta el centro. Doblar los alambres sobre la cuenta hacia abajo. Con un alfiler en T, sujetar la cuenta y los alambres sobre el tablero de trabajo. Con dos alambres dorados, hacer cuatro NP en torno a los alambres de color. Tomar los alambres dorados utilizados como soporte y llevarlos hacia fuera. Poner los alambres de anudado (recién utilizados) paralelos a los de color.

Poner un alfiler en T a unos 6 mm por debajo del primer grupo de NP. Hacer cuatro NP. Llevar el primer nudo contra el alfiler. De este modo queda un espacio entre los grupos de nudos.

2 Dividir los alambres en dos grupos de dos alambres de color y dos dorados. Hacer un NP con los alambres dorados en cada grupo. Enfilar una cuenta redonda pequeña en los dos alambres de color de cada grupo. Hacer un NP debajo de cada cuenta con los alambres dorados. Añadir otras dos cuentas en cada grupo, sujetándolas con un NP. Se habrán añadido en total 6 cuentas de vidrio pequeñas.

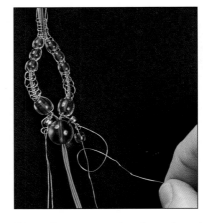

3 Hacer en un grupo ocho NFA con los alambres dorados en torno a los de color. Trabajar el otro grupo. Hacer un NP debajo de la serie de NFA. Enfilar una cuenta de 5 mm en los alambres de color de cada grupo y sujetarlas con un NP.

Pasar los cuatro alambres de color por una cuenta transparente de 9,5 mm.

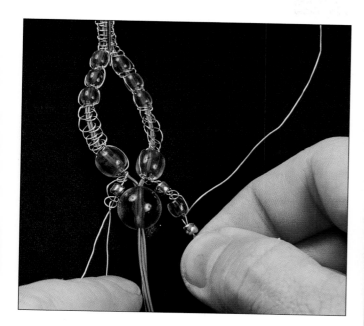

Reunir los dos grupos anudados del paso 2. Hacer tres NP con dos alambres dorados como anudadores, dejando seis alambres. Intercambiar los alambres de anudado dorados con los dorados de soporte.

4 Trabajar ahora con dos alambres dorados a cada lado. Hacer dos NF utilizando un alambre dorado como anudador y el otro como soporte. Enfilar una cuenta E dorada en el alambre de soporte. Hacer otros dos NF y ensartar una cuenta de vidrio en el hilo de soporte. Enfilar una cuenta E dorada en el alambre de soporte. Hacer otros dos NF. Repetir al otro lado.

6 Dividir los alambres en dos grupos, de dos alambres de color y dos dorados cada uno. Hacer siete NP con los alambres dorados en cada grupo. Con los dedos, dar forma de semicírculo a cada grupo.

Reunir los extremos de los alambres. Hacer tres NP utilizando los alambres dorados para anudar. Ensartar una cuenta de vidrio grande en los ocho alambres juntos. Subir la cuenta hasta los nudos. Con alicates para bisutería, retorcer los alambres unidos. Cortar las puntas a unos 6 mm. Aplicar una gota de pegamento sobre los cabos para evitar que arañen los alambres. Dar forma a la pulsera alrededor de la muñeca.

Para abrochar la pulsera, pasar la cuenta del principio por la presilla formada al final.

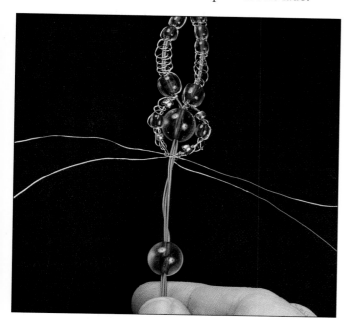

5 Hacer un NP con los alambres dorados de soporte (a la derecha y a la izquierda) en torno a los alambres azules, debajo de la cuenta transparente.

Hacer una imagen simétrica del dibujo desde donde se dividen los alambres en dos grupos de cuatro hilos. Repetir primero el paso 4; luego los pasos 3 y 2.

# Broche barroco

*Los broches muy elaborados y el macramé apasionaron a las damas victorianas en el siglo XIX. La bisutería para lutos se hacía anudando cabellos, lo que, por combinar ambas pasiones, se hizo muy popular. Este proyecto, mucho más colorista (y más fácil de realizar), rinde homenaje a aquellas labores peculiares.*

## TAMAÑO DE LA PIEZA TERMINADA

4 x 18 cm, incluidos flecos

### MATERIALES

6,1 m de cordón de lino encerado

30 cuentas redondas pequeñas negras, de 3 mm de diámetro*

2 cuentas de fantasía de 10 mm de diámetro*

1 cuenta de fantasía de 2 cm de diámetro*

Regla o cinta métrica

Tijeras

Base de broche

Pinzas de papelería

Tablero de trabajo

Alfileres en T

*Estas cuentas van a destacar en el broche, lo que se debe tener en cuenta a la hora de elegirlas. Si no se encuentran tres cuentas iguales, se puede elegir una central y dos más pequeñas coordinadas.

### NUDOS Y MÉTODO DE TRABAJO

Nudo simple (NS), nudo de festón (NF), nudo plano (NP), nudo de festón doble invertido (NFDI), nudo con vueltas (NcV), nudo de festón doble (NFD), nudo de cordoncillo (NCo)

Se trabaja desde un extremo

## Preparación de los materiales

Medir y cortar cuatro cordones de 76 cm de largo. Medir y cortar cuatro cordones de 61 cm de largo.

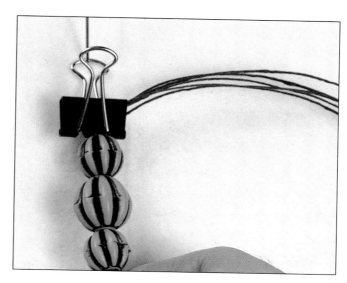

1 Pasar cuatro cordones de 76 cm por las tres cuentas de fantasía. Sujetar las cuentas a 30,5 cm de un extremo de los cordones con una pinza de papelería. Subir las cuentas hasta la pinza y hacer un NS. Quitar la pinza y hacer otro NS al otro lado de las cuentas.

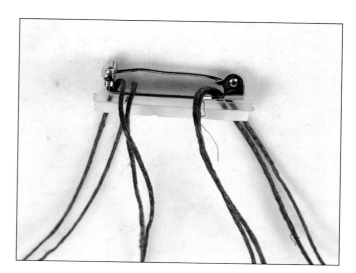

2 Pasar dos cordones de 61 cm por cada extremo de la base del broche, entre ésta y el imperdible. Volver la base con el derecho hacia arriba.

atada con NFDI, empezando por cualquiera. Combinarla con la hebra enfilada más próxima que tenga NF. Las hebras con NFDI serán las de soporte y se hacen NFD con las hebras a NF con cuenta. Ahora se tienen cuatro hebras de anudado.

Utilizar tres hebras soporte y una hebra de anudado. Hacer ocho NFDI. Repetir esta secuencia al otro lado.

3 Colocar las cuentas de fantasía sobre la base. Comprobar que los cordones de 61 cm están bien centrados debajo de la base. Hacer un NP con un juego de hebras de los cordones de 61, entre dos cuentas, sujetándolas al broche. Repetir con las otras hebras. Estas hebras quedan inactivas de momento.

Dividir en grupos de dos las hebras en las que están enfiladas las cuentas. Hacer un NFDI en cada grupo. Enfilar una cuenta negra pequeña en la hebra soporte de cada grupo. Colocar las cuentas en su sitio con un NFDI. Luego, hacer seis NFDI con cada grupo de hebras. Estos dos grupos se dejan inactivos de momento.

Trabajar con los cuatro pares de hebras que ataban las cuentas de fantasía a la base de broche. Hacer dos NF en cada par. Enfilar una cuenta redonda pequeña en las dos hebras de cada par.

5 Ahora se trabaja con las hebras que no tienen nudo y que sujetan las cuentas de fantasía a la base de broche. Enfilar una cuenta pequeña en una hebra. Sujetar la cuenta con un NFD.

Tomar las hebras de NFDI del paso 4. Combinarlas con las hebras con cuentas que se acaban de anudar con NFD. Las hebras de NFDI serán las de soporte. Hacer un NFD con las dos hebras, igual que en paso 5. Se obtiene un grupo de seis hebras. Repetir al lado contrario.

4 Trabajar ahora con las hebras de la unidad de cuentas de fantasía. Tomar una de las unidades

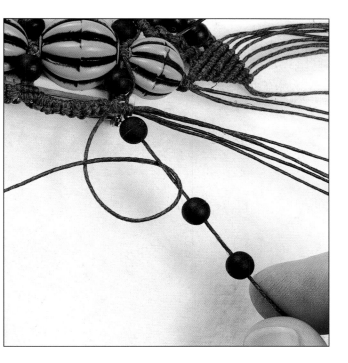

6 Dividir un grupo de seis hebras en uno de dos y uno de cuatro. Enfilar tres cuentas pequeñas en una hebra del grupo de dos. Deslizar una hacia arriba y sujetarla holgadamente haciendo un NFDI con la otra hebra. Sujetar las otras dos cuentas de igual manera. Repetir esta operación con el otro grupo de seis hebras. Estas dos unidades de dos hebras se dejan inactivas de momento.

7 Trabajar ahora con una unidad de cuatro hebras. Hacer seis NFA utilizando hebras dobles. Repetir con la otra unidad de cuatro hebras. Estas hebras se dejan de momento inactivas.

8 Trabajar con las cuatro hebras sin anudar en la base de las cuentas de fantasía. Tomar una de las dos hebras centrales y sostenerla cruzada sobre la hebra exterior contigua de la derecha o de la izquierda. Hacer un NFD. Situar esta hebra soporte sobre la unidad de seis hebras del paso 7. Hacer una fila de NFD con las seis hebras. La hebra soporte no cuelga hacia abajo como las demás por lo que se podrá distinguir fácilmente más adelante (ver foto).

Tomar la primera hebra que cuelga en la fila de NFD. Sostenerla sobre cinco hebras. Hacer una fila de NFD pero sin incluir la hebra anudadora utilizada anteriormente (¡por eso decíamos que era fácil de identificar!). Seguir haciendo filas de NFD tomando una hebra y sosteniéndola encima de las demás. Se van formando filas de NFD en disminución. Con este proceso se logra una forma triangular.

Hacer filas en disminución de NFD al otro lado, empezando por la hebra central.

Pasar ahora todas las hebras hacia abajo por debajo de la punta del triángulo con NCo. Trabajar un lado del diseño y después el otro.

Tomar la hebra de más arriba a un lado del triángulo y sostenerla hacia abajo por encima de las hebras. Hacer un NFD. Combinar las dos hebras; tomar la hebra anudadora siguiente que esté libre y hacer un NFD. Seguir combinando hebras y haciendo NFD de este modo hasta que todas las hebras de un lado del dibujo queden colgando bajo la punta del centro. Repetir este proceso al otro lado del diseño.

Combinar las hebras del centro. Utilizar las hebras exteriores de cada lado para hacer NP en torno a las demás hebras. Enfilar una sola cuenta en cada hebra y sujetarla con un nudo con vueltas. Repetir con todas las hebras. Cortar los cabos por debajo de cada nudo con vueltas según se desee.

# Galería de macramé

Collar de lino encerado con perlas pavo real.
Elaine Lieberman.

Collar trabajado con nailon, cuentas de plata y perlas. Elaine Lieberman.

Gargantilla trabajada con hilo de cobre, conos de plata y perlas de río. Elaine Lieberman.

Colgante realizado con hilo de plata y cuentas balinesas y turquesas. Elaine Lieberman.

Bolso para cinturón realizado con cordón de algodón y cuentas de cerámica. Jim Gentry.

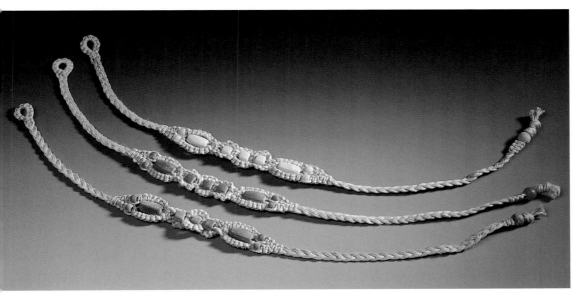

Gargantillas de lino con cuentas sintéticas. Jim Gentry.

Bolsitos para colgar
realizados con hilo
de algodón y cuentas
de cristal y de cerámica.
Jim Gentry.

Collar de lino con cuentas de madera
y de metal. Jim Gentry.

Pulseras de hilo de algodón. Jim Gentry.

# AGRADECIMIENTOS

Todo empeño es la culminación de las experiencias de una vida: el resultado de las inspiraciones e influencias que nos han ido conformando. Teniendo presente esta consideración, debo expresar mi reconocimiento a mis padres, que siempre me apoyaron en mi formación; a mis profesores, que me demostraron que confiaban en mí; y a mis alumnos, que hacen de cada día una aventura.

A Lark Books les debo un eterno agradecimiento por todos los años que han enriquecido mi vida con su revista *Fiberarts* y sus numerosas publicaciones sobre artesanías. Gracias a Katie Dumont, editora de *The New Macrame* (Lark, 2000), que demostró un gran entusiasmo por mi trabajo.

El personal de Lark convirtió el proceso de redacción de este libro en todo un placer. Después de observar a Evan Bracken trabajando, no he vuelto a ver la fotografía bajo el mismo prisma. Susan McBride demostró con gracia lo que significa el arte de la dirección artística. Me maravilló el saber hacer de Terry Taylor y su visión de cómo organizar el texto, las fotografías y las ilustraciones para disfrute del lector. (¡Al fin dieron su fruto aquellas lecciones de macramé que te di en 1972!). De nuevo, gracias a todos vosotros.

Gracias también a Carol Taylor, a Deborah Morgenthal y a Rob Pulleyn, cuya decisión de publicar este libro ha hecho realidad un sueño largamente acariciado.

Y hablando de sueños, éste es el que tengo para el futuro: que mis nietas Olivia, Amelia y MaKenzie hallen en este libro la chispa que les anime a hacer macramé. ¡Para cuando estéis listas os tengo preparada gran cantidad de hilo!

# ÍNDICE ALFABÉTICO

ELAINE LIEBERMAN diseña bisutería, colgantes y otras piezas de macramé originales. Imparte clases de bisutería y macramé. Para más información sobre sus obras, consultar su dirección **www.elainecraft.com**

# OTROS TÍTULOS PUBLICADOS

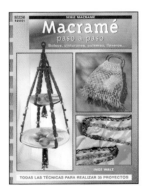

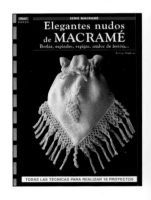